바
람
의

기
원

이 도서의 국립중앙도서관 출판시도서목록(CIP)은 e-CIP홈페이지(http://www.nl.go.kr/ecip)와 국가자료공동목록시스템(http://www.nl.go.kr/kolisnet)에서 이용하실 수 있습니다. (CIP제어번호:CIP2015019358)

실
천
시
선

235

바람의 기원

김명철

실천문학사

차례

제2부

제3부

제4부

제
1
부

생각

'나'만 보고 있다가 불현듯
주변을 둘러본다
아무도 없다
생활도 없고 관계도 없고
빽빽하던 소리도 없다
이명조차 없다

집 앞 목재상에 지게차가 없다
숲길에 산책이 없고
운동장에 체육이 없다
차도에 자동차도 없고
그 흔하던 까치 한 마리 없다

사람이 없다

고양이를 밟은 바퀴자국처럼
내가 납작해지고 있다

마비

내가 나를 베고 잤는지
누가 내 팔을 베고 잤는지
몇 주일 전부터 오른쪽 손과 팔이 자꾸 저리다

네가 나에게로 오고부터
가슴에 구멍이 난 채 초점 없는 눈빛으로
돌멩이나 발로 차며 나에게로 오고부터
마음에는 자주 침을 발라왔지만

내 목이 거북이 목이라
목뼈가 신경을 압박하기도 하겠지만
손톱에 멍이 들고 뒤꿈치만 갈라지는
구 개월 노동의 뒤끝이기는 하지만
오래된 마음의 병이 온몸으로 퍼지고 있나 보다
발가락 끝도 둔해지는 것 같다

너로 인해 과욕처럼

절반의 사람들이 나에게로 오고부터
내 마음이 내 것이 아니었듯이
이제는 내 살도 내 살이 아닌 것 같다

어디에 바늘을 꽂아야 하나

표정 없이

겨우내 쌓였던 옥탑방 책장 먼지를 털며
혼자 살던 집에서
혼자 살 새집으로 떠나기로 한다

낡은 사랑은 일요일 오후의 서풍을 타고
주춤거리며 사라지고
재난으로 잃은 부모의 주검을 찾으려고
열두 시간째 포클레인과 함께
무너진 집을 헤집던 소년도 마침내 무너지고
나는 울었다

옥상에 심어놓은 철쭉이
겨우내 바람을 찢었던 것도 이런 마음이었을 것이다

여유가 없고 심란하니
노래방에서 만나자는 친구의 전화를 받고
마음이 가지런해진다

까치가 바람을 타고 날다가
역풍을 만나 기울어지며 저 혼자 떨어진다

많은 것을 잃거나 얻었던 자리를 떠나
이제는 오래된 사랑의 마음으로
새집을 꿈꾸기로 한다
가시관처럼 생긴 자리
집 앞 전신주 꼭대기 까치 둥지가
독한 바람을 하나하나 통과시킨 것처럼

증폭

사월이었다
달빛이 요란한 밤이었다
들판의 고요가 비의(秘義)처럼 흐르고 있었다
앞서 지나간 누군가의 발자국 속에
별이 떨어져 있었다 어린 까치독사의 눈빛 같았다

발바닥이 갈라졌다 처음에는 그랬다 연탄보일러나 돌려
막기 카드빚 때문이라고 생각했다 담쟁이가 말라 죽었고
머릿속에서 모래가 쓸려 다녔다 유산(流産)이나 하나둘 떠
나가는 것들도 일상이 되고 있었다 친구의 배신은 전조 없
이 일어나는 한 마리 새의 로드킬 같은 것에 불과했다 높은
뜻들도 다, 그러려니 했다

하늘에서 툭,
눈도,
귀도,
코도 없는,

붉은 심장만 있는 피투성이 사랑이,
떨어졌다.

파랗게 눈을 뜨며 솟아오르는 것들과 파랗게 몸이 식어
땅으로 꺼져드는 것들 사이에서 뼛속과 생각이 텅. 텅. 비
는 밤이었다

몰락의 밤

초심으로 돌아갈 수 없는 밤이었다
앞서 지나간 사람의 발자국을 따라 밟으며
달빛 속으로 침몰되는 밤이었다

고사(枯死)

그래서, 온몸의 물이 마르는 것이다

눈 쌓인 가지를 털어 노란 깃털이라도 기다리며
완성되지도 않을 문장(紋章)의 밑그림을 만지작거리면서
바람의 눈빛이라도 기다리며
나무의 몸은 시시때때로 마른다
몸 안에서 몸 밖으로 고개를 내밀던 물길이
당신을 향해 물을 흘리고 마침내
물길이 끊어진 나무의 둥근 몸통조차 흔들리고

기다림의 꼬리는 밟히지 않는다 몸을 굴려
가파른 길을 떠나는 나무는
오랜 시간을 들여 돌이 되려 한다
꼬리가 머리이고 머리가 허리인 짐승처럼 돌처럼
기다리는 자는 마모된 짐승의 울음이 된다

돌들은

겨우 언 얼굴을 고요한 햇살 쪽으로 돌려
물소리의 환청을 재우려다가
바람이 시작되는 쪽으로 몸을 밀어 올리고야 만다
마른 울음소리
눈 감고 허공을 버텨내는 돌들의 간절도(懇切度)를 보라
기다림을 아는 돌은
망부(望夫)의 얼굴처럼 마르는 것이다

경중(輕重)

오후에 읽은 고양이와 구름 때문에 속이 끓고 있었다
큰일을 해결하면 작은 일은 저절로 이루어진다는 문구를
안암역 화장실에서 읽는다
큰일에 가불해준 시간을 작은 일들이 탕감해줄까
큰일은 뭐고 작은 일은 뭘까 생각하는데
고양이와 구름이 또 슬그머니 문틈으로 기어 들어온다
골치 아픈 팬티와 화장지만큼이나 나를 거스른다
지금 내 주위를 빙빙 돌고 있는 저 고양이는
십 년 전쯤 염소였다가 양이기도 했던
백 년 전의 그 소일 것이다 얼마 후에는
죽어서도 움직이는 半人半物이 될 것도 같다
길야미야 길미코야 길을 잃고 배회하는 人形들아, 처럼
저 고양이는 시간이 가불된 의미일 것이다
그렇다면 고양이는 지금의 내 일보다 큰일이다
컬러풀한 구름이 아침 식탁을 덮었어요
백 년 전의 구름에 나그네가 달 가듯이, 처럼
엎치락뒤치락이기는 하지만 지금 내 머리 위의 구름은

시간이 체불된 의미일 것이다 그러니까
지금 나에게 먹고사는 일보다 더 큰 일은
수시로 출몰하는 고양이와 구름을 퇴치하는 일이다?
아니다 그보다 더 큰 일은 이십 분이나 지났다는 것이다
인기척이 없다는 것이다 막차였던가
청소아줌마들도 퇴근하고 없는 지금은
팬티와 화장지가 큰일이다

실색(失色)

안팎으로
해결되는 일은 하나도 없는데
되는 일이 있는 것처럼
이렇게 살아도 되나

진지하던 바람이 제 발모가지를 부러뜨리며
헛바닥처럼 헐떡이고 있는데
개에게 밟힌 꼬리를 땡볕에 남겨두고
바람이 벌써 늙은 몸만 챙겨
쥐구멍 어둠 속으로 사라졌는데

이렇게 살아도 되나 인생 뭐 없다고 이빨을 보이면서도
뭐 있는 것처럼 울고불고

내가 있는지 없는지 아는 체도 않고
느닷없이 채송화는 새빨갛게 피어나는데
저희들만 끼리끼리 피어나는데

전쟁을 일으키는 종교는 왜 있는지 몰라

대놓고 작은 일에만 신경 쓴다고 하면서
성스런 바람처럼
진지한 채송화처럼
고개를 당당하게 쳐들고 지나가는 개처럼
이렇게 폼 잡고 살아도 되나

외줄

건너갈 수만 있다면
길바닥에 뭉텅이로 엉켜 있는 정오의 햇살을
한 가닥 거미줄처럼 뽑아내어
시간의 습곡을 수평으로 건너갈 수만 있다면

그만 살고 싶다는 당신을

무한대로 쪼개진 시간의 실금 위에 바늘처럼 서서
부서지는 당신을 바라보고 있는 나와
길어깨에 떨어져 마멸되고 있는 날개들

아니면, 테러 같은 내파(內波) 없이
더 이상 내파를 위한 시도도 없이
난폭한 저 시간의 크레바스를 추월할 수만 있다면

그것도 아니면,
실족하여 아래로 떨어지는 것도

위에서 추락하여 제자리로 돌아오는 것도
수평으로 이동하는 중이라고 착각할 수 있다면

정오의 햇살은 한 치의 움직임도 없고

김수영의 거미처럼 새까맣게 타버려
까마득하게라도 줄을 탈 수 있다면 거꾸로 매달려서
없는 바닥을 볼 수 있다면

연(緣)

겨울이었다 휴대전화의 목소리가 다급했다 아스팔트가
테러처럼 끊어졌고 곱게 내리던 눈발에 핏물이 들기 시작
했다 가속기를 밟고 있는 오른 발등과 어깨에 거역할 수 없
는 무게가 실렸다 감각이 감각을 낳고 있었다 처음 본 내
마음이 내 일거수일투족을 훑어내렸다

그의 치아와 이마와 입술이 깨져 있었다 나는 잘못한 게
없어도 잘못했다고 또 한 번 중얼거렸다 정리되지 않았지
만 정리하고 싶었다 둥글면서도 각져 있는 저 낯선 것의 정
체를 알고 싶었다 투명한 입김을 불어넣어 다독거렸으나
맑아지지 않았다 우리는 뒤엉켰다 조금 뜨거워지는 것 같
았다

다시 겨울이 왔고 달이 초유의 속도로 이동하고 있었다
바람이 발등을 톱니처럼 지나갔다 그는 말이 통하지 않아
죽고 싶다고 했고, 사라졌다 정곡을 찌를 수가 없었다 그는
혼자서는 타지 못하는 장작이었고 난 장작불 속 얼음이었

다 이마가 급히 흐려졌다

　그는 다시 겨울이 올 것이라는 눈빛이었지만 나는 믿지
않았다 바람에도 핏물이 흐를 것이고 그때 그 달이 다시 몰
아칠 것이라 하였지만 나는 믿지 않았다 물컹거리는 돌멩
이의 얼굴 같았다 조금만 울어야 한다고 생각했다 나는 믿
지 않았다

농부와 나무와 사과

또 성급한 판단으로 천백만 원을 날렸다

호락호락하지 않아 면밀하지 않으면
게걸음이라구 단호하게 혹들은 떼어버리라니까

성급한 내 사랑들을 생각했다
내가 물어야 할 사랑의 위약금들이 쌓여갔고
나와 맺은 나의 계약은 지속적으로 유보되고 있었다

산자락에서 한 그루의 사과나무를 보았다
햇살을 받은 사과알들이
나무와 바닥을 점령한 수많은 사과알들이
매달린 채 혹은 떨어진 채
아스팔트와 한 무리의 잠자리 떼와 산 하나를 통째로
빨강 속으로 빨아들이고 있었다 잠시,
바람 한 점 없이 황홀했다

나무의 심정을 받아들이기로 했다

나에게 매달린 혹은 질펀하게 떨어진 나와 내 사랑들을
볼품없이 사랑하기로 했다 벌레 먹은 채
황홀하기로 했다

말, 말, 말, 그리고 고지

피와 땀이 스며 있는 이 고지 저 능선의 별빛을 넘어
빗발치는 말씀들을 뚫고 간신히 살아남는다

재래식 입술과 현대식 입술에서 쏟아져 나오는 탄환들
을 피하려 지그재그로 뛴다 조명탄이 터지면 연막탄으로
맞서고 연발탄에는 참호 속에서 무응사로 대처한다
　문제는 지랄탄이다
　총구는 하나인데 다연발 탄알의 방향을 종잡을 수 없다
정면에서 발사되는데도 등 뒤쪽에서 날아와 내 귓등을 노
린다

샛노란 채송화의 노래를
쪼그려 앉아 들으면서
다리가 저린 줄도 모르고 들으면서
졸고 싶어요

정확히 조준된 저격수의 총알은 왼쪽 귀를 뚫고 다른 쪽

귀로는 절대 빠져나가지 않는다 박힌 총알은 전신을 빨아
들이는 블랙홀이 된다 늦은 밤이나 술이나 연애 같은 것들
이 나비처럼 얇아진다

　샛노란 노래를 들으며 필사적으로
　졸고 싶어요

　나의 전투력은 아침에 떨어진 꽃잎 수준이다 첨단 성능
의 지뢰를 만나게 되면 투항, 포로, 흰나비가 되지 못한 말
들, 아아 그때 그 여자, 전사, 행복했던가가
　나의 내부에서부터 먼저 동시다발의 섬광을 터뜨린다
　적을 향한 총구만이 파리하게 빛난다

실체

그림자와 싸우느라 사는 게 전쟁이다
절도 있는 생활도 못하고

잔설이 남아 있는 들길의 햇살 속에서
쫓아다니지 말고 나를 따라오게 하리라 하자마자
어디선가 또르르, 동전 떨어지는 소리가 난다
귀가 따갑다

진검 승부처럼 햇살에 나를 찍어본다
한낮의 자정이 한밤의 정오 속으로 들어가
딱 하루치만큼의 꿈을 꾸다가 눈을 비빈다

내 그림자가 나보다 더 나 같다

높이 보아야 중간은 간다 하던 아버지는
떠날 채비를 하고 나를 찍었던 햇살은
신발 바닥으로 몰려가 외로운 그림자가 된다

순수한 눈과 짓밟혀 더러워진 눈의 틈바구니에서

발이 되어본들, 생각이 따갑다

대단하십니다는 사실은 너 잘났다?
아아, 어디선가 또 까옥, 하는 소리가 난다

낮은 곳을 보면서 살라 하던 엄마는 새벽녘에 떠나고
높낮이를 모르는 나는 살집이 오르는 내 그림자만
맨눈으로 꾹꾹 눌러본다

어차피 백전백패다
눈이 녹지 않은 채 봄이 와도 괜찮다고
내가 나를 위로하면서 절도 있는 생활은 안 하고

골이 파이다

가슴골이 깊이 파인 여자가
내 곁을 스쳐 지나갈 때
삼십구 년 동안의 내가
십 년 동안의 어린 나에게 다가갔습니다

물장구와 땅따먹기와 연날리기가 끝난 후부터 나는
막대기를 진검으로 알고
나를 휘둘러왔습니다
들판에 쌓아놓은 덤불 속에서
꿈같은 하룻밤을 자고 깨어난 후부터
나의 유성(流星)은 더 이상 꼬리를 드러내지 않았습니다

날개를 펴기 위해서 벼랑으로 간다지만
나는 결국 접기 위해서였습니다
산골 개울물을 징검징검 건너가는
물잠자리의 까만 날개가
내 홑눈을 흐려놓은 것도 모르고 갔습니다 나는

손잡이도 없는 검
피아(彼我)를 구분하지도 못했습니다

정수리 위에서 성가신 별이
폭죽처럼 터질 때면 놀라지도 않고
내가 내 뒤통수를 치기도 했습니다
진검이든 막대기든 이제는 그만하고 싶습니다

폭염으로 뜨거워진 수돗물에
머리를 박습니다
땡볕 아래 가슴골이 깊이 파인
서늘한 여자가 지나갔습니다
문을 안에서 걸어놓고
죽어라고 소리를 죽이고 있습니다

선산(先山)

변두리 움푹한 집 앞 산기슭에서
용트림을 하고 있던 소나무는 새벽녘에 떠났고
산자락을 뜨지 못한 잔솔들만 남아 있어

굽고 뒤틀린 나무들의 마음을 생각하다가
나는 어떤 소나무일까

아픈 내 아이를 생각하다가

용의 비늘을 만들어주는
초점 없는 눈빛들과 한쪽만 남은 다리와
어제 신문의 귀퉁이를 찢어 함부로 싸 뭉쳐진
잘려나간 턱과 터럭과 발톱과
맨 끝자리와
살려주세요 소리도 못 내는
동전이 담긴 깡통과
시들시들한 시들과 막차와

몸이 가난한 지팡이와 유모차의 폐지를 생각하다가

내 생각의 선산을 지키고 있는
못자리에 떨어진 깨진 달의 조각들과 그 틈과
걸려 넘어지는 낮고 쓸쓸한 것들을 생각하다가

차단

마른 햇살에 눈을 맞추는 철 지난 노란 장미나
떨어진 매미 날개의 길이 막막합니다
갈라진 문장 대신 수첩 속에
가을 한 장을 펴 넣어야겠다고 생각합니다
나뭇잎의 꼭지가 꼬이고

바람이 갈래갈래 불다가
유연하게 한쪽 방향으로 되돌려
오갈 데 없는 내 표정을 막습니다
나뭇잎이 눈에 띄게 오그라들고 있습니다
뾰족한 수가 없습니다

눈을 떴을 때의 푸른빛이
눈을 감을 때의 노란빛에 섞입니다
활활은 아니라 해도
마지막 불씨까지는 보았으면 좋겠습니다
바람을 타고 날다가

무심히 떨어지는 날개처럼 갈피를 잡지 못할 때

집에 다 왔는데
주변을 몇 바퀴나 돌았는데
열쇠도 없는데
불은 여전히 꺼져 있습니다

깨어나는 것이 이제는
내가 아닌 잠의 의미가 되었고
언젠가처럼 당신의 표정은
당신의 의지가 아니라고 말합니다만

낙엽이 스스로 불을 질러
나무의 몸통을 모두 태우기 전에

나와는 무관하게
나에게로 모여들었던 소실점들이

치사한 가을 햇살처럼 빠져나가고 있습니다
나 이러다가
몸으로만 남아 있을지도 모르겠습니다

제
2
부

넓은 문

바람 불어 좋은 날
죽은 자들도 눈을 뜬다는 사월에
신바람 일으키며 꽃구경 가는 사월에
또, 또, 또, 죽었다

바람을 맞은 꽃들은
송두리째 혼자 떨어지고
떨어진 꽃들 뒤에서 살아남은 자들은
꽃잎만 흩날리고 있다

괜찮다

햇살에 찔릴 것 같다
반쯤 열린 유리창이
어린 갈대꽃이 되쏘는 햇살들을 묵묵히 받아낸다
고요하다

아들과 함께 칼국숫집 창가에 앉아
늦은 점심을 기다린다
한 무리의 여자 손님들이
옆 식탁에 자리를 잡자마자

날씨까지 받쳐준 멋진 운동회였어 우리 애의 눈망울에
는 하늘이 파랗게 고였고 우리 애의 두 다리는 치타처럼 빨
랐고 우리 애는 해바라기였고 우리 애의 날개는 은빛으로
빛났고 우리 애는 크게 크게 노래했고 우리 애는 자전거 바
퀴처럼 굴렀고 다람쥐처럼 공작새처럼 우리 애는 우리 애
는 이겼고

아빠, 난 괜찮아

소란한 대화 속에서 배경처럼 앉아 있던 아들이 귓속말
을 한다

나도 자전거 탈 수 있을 거야

먹으면 안 좋다는 바지락은 골라내고

면발만 먹고 있는 아들의 이마에 땀방울이 맺힌다

땀방울에 맺힌 햇살 조각들이 흩어질 때마다

내 무릎에 올려진 아들의 왼쪽 다리에

가느다란 힘이 들어간다

부러진 햇살에 찔려

밤마다 힘이 빠져나가는 아들의 다리를 만져보다가

내 두 다리와 아들의 오른 다리를 바라본다

아들에게 미소를 지어 보이며

식탁 위에 나무젓가락 세 개를 세워

안정감을 확인한다

아들의 면발 위에 열무김치를 올려주다 말고
얼굴을 돌려 유리창에 번진 햇살에
두 눈을 말린다

낙과(落果)

하필이면 서해상을 따라
태풍이 북상 중이라 한다
단단한 건물에 사는
단단한 사람들만이 아무 일 없을 것이다
깨지지 않도록
베란다 통유리창과 가족들의 안부에
청테이프를 붙일 것이다
고지대에 사는 사람들이 저지대를 내려다보며
상습 침수 지대를 왜 떠나지 않느냐고
짜증을 내며 이유를 물을 것이다

죽은 자들이 아니라
그 옆을 지나치는 사람들이
입을 길게 벌려 절규할 것이다 흠칫,
입장을 바꾸기도 하겠지만

사십 대 신도가 교회 첨탑에 깔려 사망했고 강풍으로 팔십 대 노인이 옥상에서 떨어져 숨졌습니다만 다행입니다.
태풍의 진로가 동해안이 아니라 한반도 북쪽을 향하고 있
습니다.

정전으로 인해 촛불을 켜고 둘러앉아 놀고 있는
천진한 아이들과 해맑은 낙과들

몇몇은 바람받이 낡은 창문 소리에
자다 깨다 하다가
순식간에 고요해진 마을 위로 쏟아져 내리는
샤갈풍의 달빛에 경악할 것이다
일어나 앉아 두 손으로 얼굴을 덮은 채
낮은 지붕들 사이로 흘러 다니는 푸른 숨소리에
한쪽 귀를 세우기도 할 것이다

물에 잠긴 아이들을 주섬주섬 챙기다 말고
달빛을 향해 눈을 치켜뜨는

선 굵은 목소리와 귀뚜라미 소리가
하필이면 내 창문 바로 아래에서
또렷이 섞일 것이다

이탈

칠월인데 잠자리 날개들이
이마에 부딪힐 만큼 많았다
서해 얕은 바다는 마른장마에
개펄의 배를 뒤집고
부글거리고 끓어오르며 끊임없는 수다를 늘어놓고 있었다

이상기온이야 대낮부터 술을 마셨어 게딱지가 화딱지났나
봐 햇살이 물수제비를 몇 개 나뜨나보자 와우나 시적이지? 갈
매기들은 잠자리를 잡아먹을 줄 몰라
  사람들이 던져주는 새우깡을

받아먹던 갈매기 한 마리가 멀리
아주
멀리
수평선을 향해 날아갔다
새의 눈빛이 벌겋게
딱지처럼 달아올랐을 것이다

집으로 돌아와
이마에 달라붙은 잠자리 날개들과
귓속으로 들이부었던 낮술과 시적이라는 것과
새우깡 부스러기를 털어내느라

내 얼굴이 검붉은 딱지처럼 뒤집어진다

갈매기는 떠나버린 것일까 한동안 아니면
아주 영영,

탈(脫)

하늘의 울타리를 벗어난 구름이
날카로운 꽃잎을 건너 당신의 옆구리를 스친다

깍지 낀 손베개로 천장을 보고 누워
무거운 발목을 까딱거리며
히브리 노예들의 노래를 듣다가
묶였군 억센 비를 많이 맞아야 되겠어

가볍게 붉은 꽃이 눈과 몸을 열어
소리로 터져 나올 때까지
뿌리가 저도 모르게 움켜쥐었던 어둠을 풀어주고
어둠은 마모되고 풍화되어
손가락 사이로 흘러내리도록

하늘만큼이나 꽃도
꽃에서 벗어나고 싶은 것이다 당신이
나나 당신의 안에서 밖으로

바깥에서 더 바깥으로 나가고 싶듯이

그렁그렁한 꽃의 눈빛에 스친
생채기 그 자리에서
이미 떠난 줄 알았는데
제자리에 갇혀 있는 생각을 두고
몸이 먼저 떠날 수도 있겠다

그날을 내기하다가 다시 묶이는 당신이지만
소리와 색깔과 노래와
지리멸렬하거나 돈독한 관계가
이파리처럼 입장을 바꾸고

이제는 꽃에 숨어 있던 바람이
소리를 만들어 계절을 떠나야 할 때
당신의 울음이
몸을 떨어 붉은 색깔을 토해내듯이

직립 산행

내 승부수의 히든카드는
져도 그만 이겨도 그만인 콧노래, 꽃놀이패였다
바랑 같은 벼랑을 지고 돌계단을 오른다

정작, 해 뜨기 직전 뒤돌아선 여자가 아니라
그녀의 눈앞에서 찬연하게 풀어지던 꽃비 아니면
정작, 해발 팔백 미터의 속도로 아득해지던 남자가 아니라
그의 등 뒤쪽 눈꽃들에게로
나의 눈치가 돌았던 것이나
꺾어진 꽃 모가지
아름답다 해서 살아 있는 죽음을
편지처럼 끌어다 썼던 일이거나

북한산 정릉 매표소 부근이나
쩨쩨한 가슴팍 아무 데나 대고
하늘에 대고라도 한 방만 날려볼까
벼랑 아래에서

절벽에 비껴 선 키 작은 소나무의 이마라도 짚어볼까

검붉은 목덜미를 보이며
발톱만 다듬고 있는 거목들 사이로
내가 기르던 갈까마귀 한 마리가 또 날아가고
날은 어두워지는데
돌계단은 줄지 않고
돌계단은 깨지고 돌계단은 넘어지고

착시

풀잎과 벌레 들의 독기가
숨죽여 흐르는 정적의 밤입니다
푸른 달빛을 가슴뼈까지 빨아들이는
낮은 지붕들 아래
잠들지 못한 침묵의 숨소리가
가늘게 떨리고 있어요
어깨가 굽고 허리가 휜 하루들이
독한 달빛 속에 빼곡하네요

내 손목을 누가 풀어주겠어요
앞발을 휘저으며 나비를 쫓아가는 고양이의 푸른 눈빛
을 보고 처음에는 장난인 줄 알았어요 바람의 결을 타고 그
냥 노는 것인 줄 알았어요 바람에 흔들리는 것쯤은 잠시 계
절을 떠나는 정도라고 생각했죠 몰랐어요 언젠가 눈꽃들
의 축제의 밤에 일어났던 일처럼 어깻죽지가 뒤로 꺾이고
허리가 깨끗하게 부러질 줄은요 차라리 손목을 자르는 게
낫겠어요

이제는 발목을

내 스스로 묶어야 할 때입니다

두 손으로 얼굴을 가린 채 웅크려 앉은 몸이

저 혼자 앞서 가던 생각을

되돌려 세우고 있습니다 발목을 묶어

창밖 푸른 달빛 속

어깨가 굽고 허리가 휜 하루들 속으로

온몸을 던져야 하는 밤

거친 숨소리가

새벽의 정반대편을 향해 치달릴 거예요

아직도 아름답다 하는가

　당신은 나를 보면 웃는다
　한동안 내가 세상 속에 묶여 꼼짝없이 세상만 살았다고
내 표정에 웃고 내 행동에 웃는다 당신도 나와 함께 마시고
취하고 울었는데 나를 보기만 하면 웃는다 악의인지 선의
인지 당신은 웃는다 가령, 죽을지 살지도 모르고 버스 뒤꽁
무니를 손바닥으로 두드리며 매달리는 나를 보고 멀뚱멀
뚱한 나를 보고 당신은 목젖을 키워 크게 웃는다
　산길을 걷다가 길을 벗어난다 내가 이쪽에서 그쪽으로
잘 건너지지 않을 때나 오랫동안 당신이 그쪽에서 이쪽으
로 건너오지 않을 때 난 길을 벗어난다 세상 밖의 사람을
만나보고 싶은 것이다 길을 잃고 헤맬 때, 어김없이, 자칭
도인을 만난다 그는 먹고 입고 자고를 걱정하지 않는다 눈
에 덮이거나 축축하게 젖거나 바람에 날리기도 한다 나는
세상 밖을 쳐다보다가 아예 세상 밖에서 산다 당신은
　그래도 웃는다 내 헤어스타일에 웃고 내 자세에 웃는다
나는 진지하고 심각해 죽겠는데 당신은 웃는다 날개처럼
퍼덕인다고 웃고 이파리처럼 뒤집힌다고 웃는다 모난 돌

처럼 구른다고 웃는다 길 없는 산에서 실족하여 짐승처럼
뒹구는 나를 보고 당신은 웃는다

얼떨결에 세상 밖의 몸으로 세상 안에 들어와 살 때 당신
의 눈길과 나의 눈길은 어긋난다 나는 세상 밖을 보다가 안
을 보고 당신은 안을 보다가 밖을 본다 기웃거리는 나를 보
고 당신은 웃는다 가령, 상가(喪家)에서 화장실에 간다고 나
갔다가 시월 단풍나무 숲길로 떠나거나 다시 돌아와 흑싸
리 껍데기에 초를 치는 나를 보고 당신은 탈락이라며 웃고
나중에는 타락이라며 웃는다

천지간(天地間), 하늘과 땅 사이에서 케케묵는 나를 보고
당신은 웃는다 눈물을 흘리며 웃는다

눈물

당신도 그럴 때가 있는 것이다
아니라고 해도
건들면 눈물이 터질 것 같아서
허공에 동그랗게 퍼지는 목소리에도 흔들리는
눈송이처럼 순진하게
건들지 않아도 물풍선처럼 터질 것 같아서
눈을 껌벅이며 길을 걷다가

모퉁이를 돌아 사차선 횡단보도를 건너는
뒤꿈치에서 눈을 떼어보지만
세발자전거의 빈 뒷바퀴 자리를 보고
껍딱지를 보고
가죽만 남은 채
길바닥에 납작해질 것 같아서 당신도

롯데시네마에서 영화를 본다 코믹영화를 본다 영문도
모르고 발이 빠지는 길을 보고 크득거린다 가리키는 반대

쪽으로 가는 길을 보고 크득거린다 왜 기다리느냐고 왜 오
래 서 있느냐고

　얼어붙은 강변
　흘러가지 않는 구두 한 짝
　뒤꿈치가 납작해진 검은 길을 보고
　속으로만 흐르는 물소리가 차마
　발끝에 차이는 눈뭉치에서 들릴 때면 당신은
　마음을 가다듬어 차라리
　소리 없는 눈물이 되기도 하는 것
　얼어붙은 강물에
　당신 스스로를 보태기도 하는 것이다

요람에서 무덤까지

꽃나무가 마르고 있다
좋은 꽃을 보기 위해서는
고생시켜야 한다고
물을 주지 않는다고 한다 이파리들이
뼈만 남은 아이의 검은 팔처럼 늘어져 있다

기다려 기다려 아프리카처럼 기다려 아직 때가 아니야
검은 팔과 검은 다리 아직 때가 아니야 황금꽃을 피울 자리
우린 찾아 헤매지 어디든 있어 하지만 어디든 없지 기다려
기다려 끊임없이 기다려

여름은 여름다워야 한겨울을 버틸 수 있다고
올 여름에는 폭염과 폭우가
유난을 떨었나 보다 여기저기
나무의 짓무른 허리들이 꺾여 있다
고지를 탈환하던 계곡의 병사들 같다

아직도 우리는 사과파이만 만들지 크게 크게 더 크게 크
기만 키우지 기다려 기다려 고지가 저기야 젊음을 불태워
불꽃을 만들어야 해 우린 깨끗이 피고 질 한 떨기 꽃일 뿐
이야 기다려 기다려

사랑의 빛을 밝히기 위해서는
어둠이 짙을수록 좋다고 한다
나무의 뿌리가 통째로 뽑힌 채
검은 하늘을 향하고 있다
석 달 만에 발견된 쪽방 독거노인의 얼굴처럼

역행

　길어깨에 새 한 마리 떨어져 있다 하늘을 향한 부리 끝이 빨갛다 뿔 같다 나처럼 꽃들에게 공격을 받았을 것이다 새의 몸통에 꽃잎이 칼날처럼 꽂혀 있고 향독(香毒)이 온몸에 퍼져 검붉다 기류를 거부했던 나처럼 맨몸으로 저항했을 것이다 새의 발가락들이 종주먹을 하고 하늘로 향해 있다 목덜미가 뒤쪽으로 꺾여 있지만 눈빛이 식지 않는 새는 살아 있다

　터지는 태양 아래에 새 한 마리 날고 있다 그림자로 날고 있다 새는 뿔이 아니라 나처럼 부리로 길을 건너는 중이다 수상한 기류는 포악하다 혀를 날름거린다 불행한 기류를 타고 불행한 새가 날고 있다 기류에서 떨어져나간 꽃잎들이 태양빛을 받아 검은 삐라처럼 하늘을 덮고 있다 붉은 꽃잎 한 장이 새의 눈빛에 달라붙는다

　붉은 새소리 아래 새 한 마리 묻혀 있다 새는 꽃이 되고 싶다 길바닥에 까드득 까드득, 조각난 새소리가 가득하다

흩어진 깃털과 꽃잎들을 소리가 끌어 모으고 있다 꽃은 날
고 싶다 하늘이 내려와 낮게 깔린다 길어깨가 들썩이고 붉
은 뿔이 흔들리고 발톱에 힘이 들어간다 날개가 퍼덕인다
뜨거운 눈빛이 하늘 위로 날아오른다 꽃잎만큼 붉다 아득
하다

나뭇잎처럼 당신은

초겨울 밤 가벼운 비를 맞고
이른 아침 햇살 아래 떨어져 있는 새들을
사람들이 발로 차며 걷는다

검은 고양이의 빳빳한 꼬리와
나비의 하얀 날개가 가져온
당신의 뭉툭한 사랑에 대하여

중지 발가락 하나를 움직이기 위해서
남은 네 개의 발가락들에게 허락을 청하듯이
사소한 오해가 몰고 올
창밖의 당신에 대한
무거운 아름다움에 대하여

나뭇가지를 놓아준 새들처럼
당신은 수평으로 떨어진다

담뱃재가 창틀 위로 툭 떨어지듯이
엄마 가고 난 후 떨어지고 있는 아버지처럼

푸른에서 붉은으로
붉은에서 검은으로 떨어진다
하얀 휘발을 향하여 떨어진다

대조기(大潮氣)

내가 내 마음을 떠밀며 가고 있는 날들이었다.

통과의례인 듯한 한 번의 대성통곡 이후로
내가 지나온 길들은 가늘고 알량했지만
뒤돌아본다 해도 그 길에 침 한번 뱉지 않았다.

대소사에 늘 그래왔듯이,
치통에도 지고 낮술에도 지고 아침의 사랑에도 지는 나
이를 기다리며 가기로 했는데,

바다의 참사가 마음의 참사를 낳고 있었다,

선수(船首)로부터의 침몰.

어느 시인의 시집 출간 기념 축하객들은 예상대로 바글
바글했다. 돌파가 안 되는 참사를 우회하려는 눈치들이었
다. 없거나 혹은 너무 커서 눈에 들어오지 않는 마음들뿐이

었다.

　세월처럼 해와 달이 동시에 떴다가 동시에 사라질 무렵,

　혼자 포장마차에 앉아,

　길을 잃어,
　의자 밑에 떨어진 꼬막에 새까맣게 달라붙은 개미 떼처
럼 마음이 바글바글한 날이었다.

제
3
부

Paul

오랜 시간을 맑게
살아내고 있는 사랑의 뒷모습
투명한 무늬의 그림자가 뒤를 따르는
사랑의 뒷모습

똑같은 일을
똑같은 동작으로 해내고 있는

사람

공장 철문 옆 기름때 닦여진 나사 더미에
사랑은 쌓이고
기름때 묻은 손과 발에도
모자도 없는 머리 위에도

사각(死角)

바지를 조금 걷어 올려
마른 하천을 건너다가 한밤에 깨어난다
아파트 침실에 들어온
물뱀의 눈이 달빛에 반사된다

물뱀은 허리 옆을 따르는 새끼 뱀을 데리고
갈라진 혓바닥마저 감추고
앞을 응시한 채 좌우로 머리를 흔들어
바닥을 민다

창문 틈을 경계하던 어둠에
출구를 내느라 흑사(黑砂)처럼
몸이 새까맣게 타버렸다
옷걸이에 거꾸로 걸린
바지 두 장의 허리를 지나
각진 시간을 건너고 있다

달빛을 피해 달아났던 눈빛이
달빛의 촉수를 향해
어둠을 헤집는다

검은 뱀이 닫힌 창틀을 넘어간다
새끼 뱀의 눈빛에 어둠이 가라앉는다

허리 품을 줄이는 목마른 시간이
뱀이 벗어놓고 간 거죽처럼
한밤 내 흐른다

고양이의 입술에 묻은 피와 죽은 쥐의 관계

입이 작은 그대가 뜨거운 숨을 몰아쉴 때마다
나의 뼈가 오도독 일어났었지
그대의 조그맣고 빨간 혀가
이빨 사이를 비집고 다니며 침을 모으고 있을 때
나의 뼈마디에서 와와 일었던 삼백육십오 개 환희의 함성

그대의 눈과 나의 눈에 눈물이 어리고

그대는 나의 바람이었고 빛이었고 열망이었네
쥐꼬리만 한 내 사랑은 그대의 방탕한 눈빛에 돌돌 말리고
그대의 치켜세운 꼬리에 내 밀어(密語)는 끊어졌네
달이나 해가 누웠다가 쏘아보듯 일어서는 동안에도
도시가 수몰되는 동안에도 그대는 내 살과 뼈를 알량하
다 하였네
잡아먹을 듯 붉디붉은 숨소리와
잡아먹힐 듯 푸르디푸른 뼈마디가 서로 부딪치며 뒹굴
었지

고양이가 쥐를 생각할까

서러움의 눈빛을 털처럼 곤두세운 나의 순응에

그대는 갈라진 발톱을 세웠고

나는 하얗게 파였고 내 뼈가 드러났고 비린내가 풍겼지

그리고 우리는 마침내 섞였지

지고(至高)의 선(善)이 윗입술을 열어 날카로운 입김으로

지순(至純)의 악(惡)을 몰아붙이듯

쥐구멍에 들어온 볕이 납작해진 어둠을 흔적도 없이 핥

아버리듯

쥐 죽은 듯

내 뼈와 피와 살로 그대는 유연하게 나무에 오르네

담장 위에서 바퀴 아래서 지붕 위에서 눈을 감네

내 푸른 생각을 부풀리네

나의 눈빛과 나의 몸짓으로 달을 부풀리네

어두운 밤 동그랗게 웅크린 밀어들을 발톱에 말아 쥐고

빗속을 달리고 빛 속을 달리네
꼬리를 빳빳이 세워 달리네 눈을 감고 달리네

선상(船上)의 품바

키 큰 남자가
키가 절반인 여자 속으로 들어간다
들어가서 정신을 내려놓는다
내 마음이 곤두선다
키 큰 남자가
키 작은 여자 속에서 춤을 춘다
정신없이 키 작은 춤을 춘다
춤 안에서가 아니라
춤 밖에서 사랑의 춤을 춘다
물고기 속으로 들어간
물결 한 마리가 튀어오른다
비늘에 낚인
햇살 한 조각이 뱃전을 돌아
바다로 떨어진다
내 마음이 많이 떨린다
바다로 떨어진 햇살이
왜소증 걸린 물고기 속으로 들어간다

춤을 춘다
배 바닥이 여자를 중심으로 회전한다
춤을 추던 물결이
수평선 속으로 들어간다
키 큰 남자처럼
수평선이 일어선다
사람처럼 무릎을 굽혀 엉덩이를 뒤로 빼고
사람처럼 허리를 구부린다
사람처럼 고개를 아래로 꺾어
사람처럼 춤을 춘다
내 마음이 아프다
남자의 어깨가 흔들린다
아픈 마음이 흔들린다
키 큰 물결이 키 큰 남자 속으로 들어간다
내 아픈 마음이 절반의 여자 속으로 들어간다
춤을 춘다
춤만 보라고

손가락질 사이를 뚫고 춤을 춘다
납작한 사랑의 춤을

유예

아침 잠자리에서
내키지 않는 편지 한 통 쓸 일을 생각하면서
오늘 일은 내일 해도 된다고 뒤척이다가
오늘은 청바지를 입을까 반바지를 입을까
(지겨운 저 빗소리)

서울역 화장실에서 오줌을 눈다
인생 뭐 없는데
닥쳤던 입에서 터져 나온 불똥처럼
털면 오줌이 입술에 튈까 봐 화장지로 닦는다 (눅눅한)
사내가 옆에서 내 얼굴과 아래를 번갈아 쳐다본다

우표와 정중과 비에 젖은 자초지종을 붙여
그저 처분만 바란다는 편지를 써야 되는데

우리는 진지하게 꽃도 똥도 아름답다 하고
사람이 꽃이나 똥보다 아름답다 하고 지겹게

결과론적으로만 수긍하고

늦은 밤 잠자리에서
불통과 불뚱과 소통을 생각하면서
가볍게 오늘 일은 내일 하자고 뒤척이다가

문자나 메일로는 안 되고 말로는 더 안 되는
육필 편지를 써야 되는데
(지겹지 않을 때까지 저 빗소리)
화장실에 갈까 말까

하루하루, 하루

오늘도 새소리보다 먼저 깨어나
비틀거린 마음보다 늦게 잠자리에 든다
발가락에 쥐가 나고

하루가 너무 길다
남는 게 없는 생활도 하고
남는 게 없는 생활 아닌 것도 한다
보도블록만 보고 걷다가
이파리만 보고 걷기도 한다
해가 짧아지고 흐린 날이 많다
어두운 계절이 온다

다시 한 번 바쁜 척하며 살기로 한다
끊임없이 움직이기 위해
빗속에서도 뛰지 않고
햇빛 속에서도 모자를 쓰지 않기로 한다

생각에도 쥐가 나기를

검붉게 솟아오른 소나무 뿌리에 귀를 대고
트럭에서 토막 나는
제주 은갈치의 눈알에 코를 박고
사람들의 변화하는 표정에
하늘 높이 나는 흰 물새의 목덜미에
눈을 맞추기도 하고

정문(頂門)

잘못 읽은 유통기한을
하얀 날개처럼 믿고 견뎌온 것 같고
당신은 눈만 있었고
나는 눈만 없었다는 듯이
나의 두 손은 더듬거렸고
당신의 입은 열리지 않았고

오래 쓰던 생각의 눈빛으로
솜털을 보고 나비의 날개를 보고
날개의 생각을 보고

혼자 빗속에서
이 정도면 道까지 닦을 수 있겠어
사막에도 마침내 꽃이 피어나리니
젖는 줄도 모른 채

수염도 기르고

빗줄기 속에서 언뜻 빛까지 보았는데
그사이 당신은
미간까지 불어난 물에 떠내려가고
두 달간의 道가
한 번의 팔랑임으로 수몰되고

마른 날개의 외로움에
내 얼굴이 빛처럼 바래고

오래 쓰던 마음의 눈빛 그대로
내 생각 맨 꼭대기에
나비 한 마리 앉아 하얗게 쉬었다 갔으면

진공 포장된 시간을 열어
기한이 지난 열기를 내보내고
바싹 마른 생각이
유효한 얼굴로 바뀔 때까지만이라도

가난하고 낮고 쓸쓸한

친구네 아파트에 파리 두 마리가 날아 들어와
우리들의 저녁 식사를 방해하는 것이었다

식탁 모서리에 나란히 앉아
뒷다리를 모아 간을 보고 앞다리를 빌려 입맛을 다시다가
식탁 위로 비상한다
잠시 서로 붙었다가 떨어진다
겉절이에는 시큰둥하더니 쓴 소주 한 모금 하고
휘젓는 손과 부채를 피하면서 돼지고기를 향해 주둥이
를 길게 뺀다
거나해진 파리들이 묵은지에 손과 발과 얼굴을 씻고
뒷다리로 날개를 정갈히 쓸어내려 경건하게 오체투지한다
잠시 또 사랑을 나누다가
홍어를 집중 공략한다
제대로 삭힌 홍어에 온몸을 던진다 사생결단이다
내 왼손을 피하다가 생각 없이 휘둘린 부채에 한 마리가
낙상한다

식탁이 치워지고

죽은 파리의 머리에 자신의 머리를 붙이는 파리를
죽은 파리의 몸에 자신의 몸을 붙이는 파리를
죽은 파리의 몸을 한껏 들어 올렸다가 내려놓는 파리를
내내 자리를 떠나지 않고 있는 파리를
뒤로한 채

달이 밝은 것이었다
베란다 창문을 열고 한 달여 만에 피우는 담배 연기에
두고 온 마른 개울과 떨어진 얼굴과 떠나온 나이와
엎드린 바람 하나가 어지럽게 흔들리는 것이었다

생목

햇살이 까칠하다
젊은 벽돌공의 어깨에서 바람이 인다
잘 부려지지 않는 막벽돌들이
도끼처럼 그의 발등 쪽으로 튄다
오래전부터 자꾸 생목이 오른다고
내온 새참을 뒤로한 채 그는 벽돌 더미로 향한다
그림자가 옆으로 가늘게 휜다

아직 풀리지 않은 언 땅에 생목이 오른다
언젠가 한두 번 바람을 본 적도 있었지만
나의 초심은 내내 흔들렸다
고스란히 내가 되지 못한 나와
더더욱 당신도 되지 못한 내가
삭지도 상하지도 못하고 흔들렸다
바닥도 없이 지붕 먼저 지어놓고 흔들렸다

어디 사느냐는 말에 벽돌공은

질문이 잘못되었다는 듯 대답이 없다
바람이 부려놓은 햇살 사이로
깨진 얼굴처럼 벽돌이 튀어 들어간다
생목이 오른다

공백

오월이지만
여전히 나는 계절을 타지 못합니다
전에는 하나의 눈빛밖에 없어서
지금은 저 햇살 때문입니다
바람도 타지 못해 망설이다가

낯선 도시의 거리를 걷고 있습니다
꼿꼿한 햇살이 나를 찍고 있습니다
그림자가 없습니다

몸이 텅 빈 늙은 나와
까맣게 탄 어린 나가 좁은 골목에서 튀어나와
정면에서 나를 투명하게 통과해갑니다

거리가 잠시 앉았다가 일어서고
물결무늬로 흔들리는

그들의 뒷모습 뒤로
고층 아파트의 베란다 유리창들이
줄지어 고개를 듭니다
햇살이 조각납니다

참새 한 마리가 날아와
머리가 잘린 가로수 아래
눈빛처럼 떨어지는 빛을 쪼고 있습니다
내가 쪼이고 있습니다

우기

비가 올 것 같다

기계적으로 들리던 확성기 소리가 멈추고
장미꽃 담장을 넘어
쌩쌩한 목소리가 다급하게
제주도 은갈치 떨이합니다, 밤꽃 냄새
짙은 골목에 울려 퍼진다

집 안에서나 입는 헐렁한 옷 대충 걸치고

생선이 토막 나고
젊은 여인의
얇은 블라우스의 기다림이 토막 나고
나이 든 여인의 길고 가느다란 오후가
은빛으로 토막 나고
꼬리가 비치는 홑치마 여인의
뭉툭한 하루가 토막 나고

빗방울이 떨어져 옷이 젖기 시작하고

                              *

아직은 붉은 얼굴로,
오늘은 꼬리 끝까지 바삭하게 튀겼어

저녁 밥상머리에 머무는
물컥하는 물비린내
여린 피비린내 꽃비린내

잠시 너를 잃고

바람 부는 방향을 따라 걷고 있었다
아무리 걸어도 어둠이 걷히지 않았다

그 꽃, 선혈이 낭자했다
어떤 사랑이 휘두른 맹목의 칼날에
칼날 같은 불가항력의 눈빛에
만신창이가 되었나

널 위해서였지만 아팠을 것이다
네 가시에 먼저 찔린 눈으로
널 보는 게 아니었다

꽃잎이 한 장씩 뜯겨지듯이 너도
내 눈빛을
마지막까지 뜯어내는 것이 아니었다

우리는 꽃이 되기로 했으나

비겁하지 않게
서로에게 피 흘리는 꽃이 되기로 했으나

바람이 꽃잎을 흔들 때마다
몸을 뒤집으며
꽃잎이 바람을 따르고 있었다
피 묻은 바람이
어둠 속 꽃잎을 따라가고 있었다

바람에게

올해도 미친 봄이네 벚꽃 잎이 지저분하네
머리에 떨어진 새똥 같네
바람은 불어
비닐하우스의 파이프와 당신의 하루가
뽑히고
그래서, 그래서, 그래서, 전철 안이
남자와 여자가 치고받는 소리에
통째로 깨지네

올해도 아름다운 봄이네
활강하거나 비상하는 바람을 타고
민들레가 머리카락 사이에서 눈을 뜨네
노랗게 날개 소리가 나네 당신은,
당신은, 당신은,
남자의 허리가 여자 쪽으로 휘고
한낮 흑맥주의 여자는 발돋움을 하며
반짝, 고개를 쳐드네

흔들리는 봄이네 흔들려

당신과 내가 목이 마를 때
거꾸로 불던 바람은 이제 그만 정색하기를
새로운 햇빛이 날고
바람처럼 가볍거나 무거워도
새똥과 날개 사이에서 간절하게
눈빛으로 주고받는 연애 같은 봄이기를
땡땡하기를

현장검증

사월의 새벽녘 산빛이
지나치게 고요하다
그젯밤 어둠이 흔들리도록
소리 하나가
치마처럼 찢어졌었지

산의 눈자위에
핏발이 서 있고
다가가도 산은
산새 한 마리 보여주지 않는다
청설모는 먹다 남긴 밤톨도
거두어들이지 않는다
시큰둥하게 돌아서던
산고양이의 뒷모습조차 없다
산은 목이 조인 듯
숨도 쉬지 않고
돌멩이들은

알몸처럼 마르고 있다

*

산빛이 곤두서기 시작한다
핏발이 터질 태세다
온 산에
짓밟힌 진달래처럼
핏물이 홍건하게 피어날 태세다

제
4
부

결절

1.

그러니까 사랑은
손톱 끝으로도 부러지거나 쪼개질 수 있지만
물과 불을 가리지 않는다고
적당히 막히면 뚫고 완전히 막혀도 뚫는다고
어둠 속에선 우악스럽고 맹목적이라고
그러면 뭐 어떠냐고
사실과 환상을 섞으면서 사는 거라고

2.

스페셜올림픽이 유령처럼
꽃다발도 없이 끝나가고 있을 때

살붙이 같았던 워메와 아따와 카이가 죽었다

빈틈없이 단속했다 싶었는데
죽을 만큼 그 사람이 그리운 날들이어서
사람들 속에서 며칠 피신해 있을 때였다
목줄이 풀린 옆집 개가
물어 죽였다는 전언이었다
살점이 붙어 있는 깃털들과 물어뜯긴 닭의 볏들이
아무렇게나 밟혀 시들고 있는
자목련 꽃잎 같았다

첫 아이를 낳고
손톱 깨무는 버릇이 생긴 이후부터
지기만 하면서도 끝내 살아가는 사람들이
아름답다고 생각했지만

목에서 떨어지는 내 머리를
두 손으로 받으면서 깨어나
나, 잘 살고 있나

새벽달이 꺼질 때까지 친구하고 마시다가

추위에 맞아 죽고 있는 꽃들 좀 봐
박살은 그렇게 나는 거야 재밌잖아
애꿎은 진달래처럼 즈려밟히기도 하는 거지

3.

해가 지고 바람이 불고
나는 격렬하게 무섭다
꽃다발에서 뜯겨져
차가운 바닥에 떨어져 있는 하얀 꽃잎처럼 무섭다

바람의 기원

향나무 밑둥치가 두 갈래로 갈라진 틈새에서
백송 한 그루가 자라고 있습니다
역경을 극복하는 것처럼
고전적인 일입니다
당신에게 나의 눈빛이 닿았을 때도 그랬을 것입니다
경건과 황홀과 우울한 표정을 지나
당신의 몸과 내 뿌리의 전쟁
바람이 북동풍에서 북서풍으로 바뀌어서 혹은
새의 부리가 당신 가지에 걸린 탓도 있겠지만
당신을 알고부터 난
불가항력을 사랑하게 되었습니다
향나무와 소나무처럼
당신과 난 이질적이었고
언제나 나는 햇살에 목이 말랐습니다
나는 당신을 빨아들여 내 가지들을 길렀고
당신은 이른 봄 새의 모가지처럼 수척해졌습니다
바람에 당신이 흔들릴 때

내 머리 위에 떨어지던 햇살들을 따라

죽거나 산 내 가지들이

목을 빼기도 했습니다

겨울을 준비하는 가을의 바람처럼

전쟁을 위한 평화나

평화를 위한 전쟁뿐이었습니다

그러나 당신의 의지는 바람의 의지였고

나는 햇살의 의지였다고 말하지 않겠습니다

당신과 내가 없이는

바람도 없기 때문입니다

향나무대로 소나무대로

순응이나 제스처가 아니라

정곡으로 가겠습니다

내 갈라진 둥치에도

바람 한 점이 떨어졌습니다

흑야(黑夜)

천진난만한 아이들이 뭉쳐 던진 사랑에 맞으며
자동차가 웃으며 미끄러지고
차창 밖으로 튕겨 나와 미끄러지는 남자 위로
미끄러진 여자가 포개지면서 넘어지고
넘어진 여자 위로
천진난만한 아이들이 하얗게 풀어진 사랑을 마구 던지고

번쩍거리는 불빛 아래
풀풀풀 날리는 뒷골목의 사랑은 끊임없이 밟히고
밟힌 사랑의 남자 아래로 두툼한 사랑이 깔리고
깔린 사랑이 녹아
남자의 형태가 반으로 접힌 십자가로 찍히고

한 블록 더 들어간 움푹한 골목의 사랑이
어둠 속에서 눈을 질끈 감고
감긴 눈이 사랑들을 불러와 모두 눈을 고요히 감고
감은 눈 옆에서 암흑과 싸우던

여리고 강한 사랑이 어둠의 정수를 가슴에 꽂으며
검은 눈을 또다시 감고

흔들리던 돌이 흔들리는 나를

아열대의 비가 온다
양철 지붕에 떨어지는 빗소리를 들으며
시적이야 하던 시절은 끝났다
하늘에서 굴러떨어진 돌 하나가 가슴을 친다
갓난아이의 울음소리를 듣는다

물속에서 낳아 물속에서 키워온 돌덩이가 자라
내가 역류하여 돌아갈 굴곡진 자리에
고요한 물살을 만든다
그 아름다움에 몸서리를 한번 치고

댐의 수위가 한계점까지 올라간다

별이 날리던 밤
솜털이 송송한 귓속말의 밤
가지 마라 손을 놓을 수 없던 밤이 젖는다

습기 찬 꽃자리 얼룩까지 물이 차오른다
지나갈 생각들의 머리맡에
흙탕물이 밀려들어와 고인다

터진 물줄기가 기둥을 들이치고
벽과 지붕이 기울고 내가 흔들린다
복원 공사를 할 때 떠밀려 다니지 않으려고
온통 얼굴과 옷을 적신다

복선(伏線)

밤의 황제가 지나가신다
휘젓는 팔과 비틀거리는 바람과
개들이 떠들썩하다

나도 취해서 살았다

황제가 대동한 태풍이 지나가는데도
침대 머리맡 귀뚜라미 소리는 더욱 또렷해지고

남의 집을 내 집인 줄 알고
버젓이 코를 골며 자거나
한쪽으로만 자꾸 넘어지는 생각이
나의 생각을 낳았다

잔디 깎을 때의 그 풀 냄새만 나지 않았다면
머리와 발 쪽의 뜨거운 피를
단전 아래로 몰아치는

바로 그 냄새만 아니었더라면

양철 지붕이 날아가거나
베란다 유리창이 깨질 때면
소란 속에서 소리만 따라다니거나
갑자기 고요해진 시내 한복판을
혼자 걸을 때에는
두세 개쯤 겹쳐진 풍경 속
조롱 섞인 미로에서 나는 흔들렸다

현관 벨을 누르자마자
정신이 깜짝 놀라
우리 집이 여기가 맞는지
나는 불안해하듯이 살아왔다

깃털처럼

할머니 네 분이
늦가을 오후의 벤치에 앉아 있다
단풍나무 붉은 그늘을 피해
자리를 조금씩 옮겨 앉는다
마른 바람이 굽 낮은 발치에 떨어진 잎들을
가볍게 뒤집을 때마다
무릎을 감싸고 있던 손으로
서로의 풀어진 목도리를 다독여준다

붉은 커플이 벤치 앞을 지나치면서
겨울방학 때 남쪽으로 여행 갈까
굽 높은 말소리에
할머니들의 고요한 시선이 이들을 따르고
남자가 여자의 목에 왼팔을 두른다
가볍다

할머니들의 얼굴 위에서

뉘엿거리는 동그란 햇살들

단풍잎이 서너 장 떨어지는 사이에
잘들 가시우 손을 흔든다
목덜미가 하얀 새 한 마리 날아와
할머니들이 앉았던 벤치 등받이 위에서
두리번거린다

트렌치코트와 스카프의 여자들이
바람을 일으키며 황급히
빈자리 앞을 지나친다
글쎄 서두를 필요 없다니까 타이밍을 봐서
떠나면 그뿐이야 서로의 손사래를
손사래로 막으며
흘러내리는 스카프를 목에 두른다
그들의 뒤를 따라
나뭇잎이 가볍게 흩날린다

탈환

골동품들이 0.5톤 트럭을 점령하고 있다
초여름 햇살이
삿갓과 곰방대와 풍경(風磬) 속 물고기를 조준한다

트럭 뒤 플라스틱 막걸리 통 옆에서
노인이 잠을 잔다 빨간 깍두기
빨간 귀 다 떨어진 검은 군화와 빨간 손수건
'열락처'를 승리의 깃발처럼 꽂아놓고
모자로 햇살을 가린 채
낡은 군복을 입은 노인이 잠들어 있다

움푹 꺼진 배 위로 깍지를 끼고 맞잡은 손
두 마디가 잘려나간 오른손 검지와 중지가
왼 손등 위로 가까스로 고개를 내민다

햇살에 쏘여 물고기가 몸을 뒤틀 때마다
노인의 손목에 묶인 빨간 손수건이

가늘게 떨린다

내가 쏜 마지막 한 발의 사랑마저 당신을 비껴가고 당신
은 손가락 하나 까딱하지 않는다 해도 당신을 향한 나의 육
탄전은 패배하고 당신은 헤픈 웃음도 없이 관목 숲 뒤로 유
유히 사라지고 그때나 지금이나 당신은 불치의 사랑을 남
기고
그래그래, 더 이상 다가오지 마라

노인이 뒤척인다
햇살을 등지고 돌아누워 모자를 당겨 쓴다
잠 속의 노인이 풍경 소리를 따라
퇴각 명령을 무시한 채 걷고 있다

눈밭에 앉아서

얼음장보다 차가운 손을 넌지시 끌어당겨
따뜻하게 감싸주는 손이 있다
냉기가 온기에 스며들어
두 손이 갈래갈래 차갑다 바람 같다

그리움이 눈밭에서 발을 구르며 기다리다가 식는다

차가워진 손이 차가운 손을 덥석 잡아당겨
불꽃 속으로 들어간다
온기가 냉기를 파고들어
양 손가락들 사이사이가 뜨겁다

뜨거움과 차가움이
마음보다 빠른 속도로 교차하는 동안
가느다란 손가락이 눈밭에서
굵고 울퉁불퉁한 손가락으로 자라난다
바람 같다

바람같이 손가락에서 새가 날아오르고
싸락눈이 내리고
해가 한 번 떴다가 바닷속으로 침몰하는 동안
떨리는 나의 손끝이 너의 손끝으로
향하는 동안

다독여진 손가락이 펴지며 동그라미를 그린다
통증,
다음에 피어나는 꽃잎
하얗다

갈피

미래에 대하여 아내와 건전하게 다투고 나서
시동을 건다
시간은 나이처럼 불편했던 정오를 넘어
세 시에 가까운데
안개는 더 두터워지는 것만 같다

근시안경도 닦고 서린 김도 제거하고
와이퍼도 뻑뻑 돌리고
얼굴 한 번 가슴 한 번 문지르고

지나쳐온 다가구 주택들과 지나쳐갈 아파트들이
내 근시안을 벗어난다
지나쳐온 어린 강줄기와
지나쳐갈 나이 든 강심(江心)도
무디게 벗어난다

목적지를 모르는 내비게이션은 줄곧

과속방지턱만 안내하고
안개에 시야는 시간이 흐를수록 갇힌다
편안해진다

숲 속으로 들어온 후 나무 기둥만 보인다

마음을 건너 몸속으로 안개가 스며들고
가속 페달을 느슨하게 밟는다
가시거리가 짧아질수록 더 편해지고 있다

반달

새장 속에서 살던 새들을
야외로 날려 보내면 굶어 죽는다는데
그래도 푸른 하늘 은하수로 보내주고

병아리 한 마리를 베란다에서 키운 지 육 개월째
내가 현관문에 들어서기만 하면
수탉의 울음소리를 낸다
한밤 두 시에도 울고 한낮 두 시에도 운다
양 어깨에 힘을 주고
목울대를 당당히 꺾어 온몸으로 운다
보내달라는 것인지
너도 떠나라는 것인지
황금빛 깃털을 부풀리며
회동그란 눈동자로 소리를 친다
유리창이 덜렁거리고 외벽에 구멍이 난다
울고 싶을 때는 울고
죽어도 뿌리쳐야 했다는 듯이 부르르

나를 보고 온몸을 떨어 운다

삿대도 돛대도 없이 작은 물에서 논다고
큰 물에서는 토끼처럼
소리 한번 못 지르면서 잘도 간다고
하얀 쪽배가 구멍 날까 봐

새들이 푸른 달을 향하여 떠오르는 밤
수탉과 내가 힘겨루기를 한다
수탉의 거대한 소리에
내가 지나간 작은 소리들의 등이 밟히고
내가 지나갈 소리들의 벗들이 쪼인다 그래,
너 잘났다, 어쩌라고
비틀리거나 비틀 소리들이 목을 뺀다

결빙기

밤을 새워 유리 조각 같은 눈발이
내 동굴 위에 꽂힐 것이고
동굴은 생각처럼 점점 깊어질 것이다

물줄기와 빛줄기가 스멀거리는
한낮의 동굴을 생각해보라
동굴은 극한(極寒)의 어둠 속에서야
비로소 동굴이 된다

암흑 속 광대한 설원의 중심에서
생기름으로 타오르는 불빛이 내부를 밝히고
내부의 온기와 빛이 외부까지 번지는
동토의 이글루처럼

동면을 끝내고 앞발을 들어 일어서는 포유류처럼
칼끝의 눈빛으로 내 생각이
동굴에서 빠져나올 것이다

얼어 있던 동굴의 입구는 햇살에 살을 말리고
동굴은 부드럽게 그리고 서서히 일그러질 것이다

말아 쥔 손가락들과
부동(不動)의 발가락들 속으로
얼음이 차오르고 있다
동굴이 얼어붙고 있다

동굴을 끌어올려
생각 위까지 덮을 시간이 다가오고 있다

유산(流産)

한낮의 북한강 낮은 강바닥에 얼굴을 비춰본다
너를 견뎌내려는 낮술처럼 물 밖이 물속에 잠긴다

망막을 가득 채우는 어둠

새 한 마리 강을 건너다가 어두운 나를 돌아본다
긴 목덜미가 아래로 휜다

너와 네가 낳은 것들이 나를 물속으로 누르고
나와 내가 낳은 것들이 나를 물속에서 당긴다

돌아보지도 않고
소리 없이 나를 건너는 너의 자세는 견고하다

해독(解毒)

돈도 사랑도 안 되는 노동만 하다가
집으로 돌아간다

물에 빠져 죽은 사월이 발목을 걸고
새들이 내 머리 위에서 찍 싸고 간다
나에게 깃털 하나 던져주지 않던 새들이었다

문 옆에 열쇠를 걸어두었고
방을 정리하지도 않고 집을 떠났으니
모르는 이들이나 다른 것들이 들락거렸을 것이다

내 못생긴 뿌리가 마르지 않도록
간혹 환기나 시키면서
내가 깎을 뿔이나 돌들로 장난이나 치면서

따듯하거나 검은 것들끼리
차갑거나 하얀 이들끼리, 아니면 같이

맘 편히 지냈기를 바랄 뿐이다

빈손으로 집에 돌아가니
그들이 남아 있다면 내쫓지도 잡지도 않으려 한다

눈길을 한참 걸었는데도 비포장 길이다
오랜만에 오래된 시집처럼
햇살에 반사되는 눈빛이 독하지가 않다

사월의 바람을 살아간다는 것: 죽음과 신생을 접붙이기

이성혁 문학평론가

1.

　김명철 시인의 첫 시집『짧게, 카운터펀치』(창비, 2010)에는 낯설면서도 독특한 매력을 가진 시편들이 실려 있다. 독특한 언어 구사와 복합적인 구성, 서정적 주체의 위상이 통상의 서정시와는 미묘하게 달랐다. 김명철 시인은 대상을 자아화하지도, 그렇다고 냉정하게 대상과 거리를 두지도 않는다. 또는 서정적 주체의 세련된 해체를 감행하지도 않는다. 그 시집에서 시인을 이끄는 것은 어떤 충실성이었다고 생각된다. 가령, "멀리서 구급차 소리 가늘게 들리다가 사라지더니/귀에서 또 울먹울먹 피리 소리가 났다"(「파종」)라는 진술에는 감성에 충실하고자 하는 시인의 의지가 엿보인다. 그는 귀에 들리는 소리를 서정적 주체의 내면을 표현하는 매체로 변환한다거나, 치밀하게 묘사하지 않는다. 그는 감각적 대상을 해석하거나 묘사하는 것이 아니라 소리가 가져오는

131

감각과 그 감각에 따라오는 내면적 파동을 충실하게 기록하고자 한다.

그런데 김명철 시의 개성적인 면모는 이 감정과 직결된 내면적 파동의 기록에서 "나와 나의 생활이 천도복숭아에 붙어 있는 개미 떼 같았다"(같은 시)와 같은, '삶—생활'에 대한 반성적 투시로 시인이 나아갔다는 데에서 볼 수 있다. 이 투시는 어떤 본질이나 진리를 인식하는 것이라기보다는 층층이 생활로 덮여 있는 삶의 맨 밑바닥을 인지하는 것이었다. "부러진 꽃모가지" 주변에 "죽어가고 있"는 "왕벌 한 마리와 십여 마리 작은 벌들", 그 벌들에게로 몰려들고 있는 "새까만 개미 떼의 행렬"(「기화」)은 시인을 포함한 이 세상 사람들이 살아가는 삶의 맨 밑바닥 얼굴—비루한 삶의 표정—이다. 시인은 그러한 삶을 비웃거나 풍자하지 않았다. "배를 뒤집은 채 반쯤 물에 잠긴 꽃, 계곡 물살을 온 힘으로 버티네"(「꽃, 목을 드리우다」)라는 문장이 그러한 삶을 상징적으로 표현하고 있다고 할 때, 자신이나 타인이 살아가고 있는 그러한 삶은 이를 악물고 버티는 표정을 하고 있었던 것, 이 모습에 어찌 비웃음을 던질 수 있었겠는가? 그와는 달리 시인은 그렇게 삶을 버틸 수 있는 힘이 어디에 있는지 포착하려고 했다. 『짧게, 카운터펀치』의 마지막에 실려 있는 아래의 시가 이를 보여주고 있다.

바람이 가을을 끌어와 새가 날면
안으로 울리던 나무의 소리는 밖을 향한다
나무의 날개가 돋아날 자리에 푸른 밤이 온다

새의 입김과 나무의 입김이 서로 섞일 때
무거운 구름이 비를 뿌리고
푸른 밤의 눈빛으로 나무는 날개를 단다

새가 나무의 날개를 스칠 때

새의 뿌리가 내릴 자리에서 휘파람 소리가 난다

나무가 바람을 타고 싶듯이 새는 뿌리를 타고 싶다

밤을 새워 새는 나무의 날개에 뿌리를 내리며

하늘로 깊이 떨어진다

_「부리와 뿌리」 전문

　이 시에서 우선 눈에 밟히는 시어는 '안'과 '밖'이다. 나무의 밖에서 새
가 비상함과 함께 "안으로 울리던 나무의 소리는 밖을 향"하기 시작하
고, 그렇게 안과 밖의 관계 맺음 속에서 삶을 버티게 하는 힘은 팽팽해
진다. 다시 말하면 타자와의 관계가 삶을 지탱할 수 있도록 만드는 것
이다. 타자와의 관계가 맺어지면 주어진 상황을 거스르고자 하는 욕망
을 낳으며, 그 욕망은 현재의 삶을 어떤 힘으로 충전시킨다. 즉 "새의 입
김과 나무의 입김이 서로 섞일 때" 나무는 "바람을 타고 싶"어 하는 "푸
른 밤의 눈빛"을 띠기 시작하며, 비상하고자 하는 날개를 다는 것이다.
다른 한편 이 "나무의 날개를 스"치는 새는 "뿌리를 타고 싶"어서 "나무
의 날개에 뿌리를 내"린다. 비상하고자 손짓하는 나뭇가지와 그 위에
앉아 뿌리를 내리고자 하는 새의 관계 맺음이 나무의 '새-되기'와 새의
'나무-되기'를 이루고 있는 것인데, 이때 새가 "하늘로 깊이 떨어"지는
사건이 일어난다. 두고두고 음미하게 만드는 이 역설적 표현은, '되기'
를 욕망하는 삶에서 일어나는 비상과 추락의 동시성 그리고 그 역동적
인 얽힘을 함의하고 있다.

133

2.

　김명철 시인의 두 번째 시집인『바람의 기원』에서도 '추락'과 '비상'
의 상징적인 모티프를 보여주는 시편들을 찾아볼 수 있다. 그 시편들은
첫 번째 시집의 세계를 이어받고 있다고 할 수 있겠는데(특히 새와 꽃의
상호 생성을 향한 욕망이 그려지고 있는「역행」은「부리와 뿌리」와 직접적인 연
관성을 보여준다), 하지만 그 양상은 대체로 다르다. 예를 들어, 첫 시집
의 마지막에 실린 시「부리와 뿌리」에서 새의 입김과 나무의 입김이 서
로 섞이고 있다면, 이번 시집의 초반부에 실린「마비」에서는 "오래된 마
음의 병이 온몸으로 퍼지"면서 마음과 몸이 '병-고통'을 통해 섞이고 있
는 것이다. 그러니까 첫 시집이 나무와 새의 입김이 뒤섞이면서 이루어
지는 상호 생성이 조명되면서 끝이 맺어졌다면, 두 번째 시집은 마음과
몸이 고통으로 뒤섞이면서 각자 소외되고 있는 상황—"내 마음이 내 것
이 아니었듯이/이제는 내 살도 내 살이 아닌 것 같다"(같은 시)—에서부
터 시작되고 있는 것이다. 이렇듯『바람의 기원』은 시인이 "어디에 바늘
을 꽂아야 하"는지, 어떻게 치유가 이루어질 수 있을지 모르겠다는 암
울한 심정을 토로하면서 시작한다. 이는 이 시집이 독자의 마음을 불편
한 장소로 인도하리라는 것을 암시하는데, '추락'의 모티프로 전개되고
있는 아래의 시 역시「부리와 뿌리」보다 좀 더 깊은 음울(陰鬱)을 보여
주고 있다.

　　사월이었다
　　달빛이 요란한 밤이었다
　　들판의 고요가 비의(秘義)처럼 흐르고 있었다
　　앞서 지나간 누군가의 발자국 속에

134

별이 떨어져 있었다 어린 까치독사의 눈빛 같았다

발바닥이 갈라졌다 처음에는 그랬다 연탄보일러나 돌려막기 카드빚 때문이라고 생각했다 담쟁이가 말라 죽었고 머릿속에서 모래가 쓸려 다녔다 유산(流産)이나 하나둘 떠나가는 것들도 일상이 되고 있었다 친구의 배신은 전조 없이 일어나는 한 마리 새의 로드킬 같은 것에 불과했다 높은 뜻들도 다, 그러려니 했다

하늘에서 툭,
눈도,
귀도,
코도 없는,
붉은 심장만 있는 피투성이 사랑이,
떨어졌다.

파랗게 눈을 뜨며 솟아오르는 것들과 파랗게 몸이 식어 땅으로 꺼져드는 것들 사이에서 뼛속과 생각이 텅. 텅. 비는 밤이었다

몰락의 밤

초심으로 돌아갈 수 없는 밤이었다
앞서 지나간 사람의 발자국을 따라 밟으며
달빛 속으로 침몰되는 밤이었다

_「증폭」전문

시인은 '사월'을 살고 있다. 앞의 시에서 '사월'은 四月을 의미하면서도, 상징적으로 死月을 의미하고 있는 것으로도 보인다. 이 시집에 종종 등장하는 '사월'은 죽음의 이미지들을 거느린다. 죽음의 시간이자 공간을 죽음의 빛으로 비추는 死月. 그 시공간에 있는 시의 화자는 앞선 이의 발자국 속에 "별이 떨어져 있"다는 것을 발견하게 된다. 그 별은 "어린 까치독사의 눈빛"처럼 독기를 품고 시인을 쏘아본다. 그 추락해 버린 별이란 삶의 이상과 같은 것임을 짐작하게 되는데, 3연을 보면 그 별이 구체적으로 눈, 귀, 코도 없이 "붉은 심장만 있는 피투성이 사랑"임을 우리는 알게 된다. 그 '피투성이 사랑'은, "하나둘 떠나가" 이젠 모래만 쓸려 다니는 '유산(流産)'된 삶에서 겨우 남아 있던 것이었을 텐데, 시인은 그 남은 사랑마저도 하늘에서 땅으로 떨어져버렸다는 사실을 추락한 별을 보면서 독사에게 물렸을 때처럼 통각(痛覺)하고 있는 것이다.

　이제 이 시공간에 남은 것은 사월의 달빛뿐이다. 그 죽음의 달빛 속에서 시인은 침몰되고 세계는 몰락한다. 이 세계에서 솟아오르는 것이 있다면 "파랗게 눈을 뜨"는 것일 뿐인데, 교교한 파란색은 암흑과 달빛이 섞이면서 생겨난 빛이자 숨을 잃은 육신이 드러내는 죽음의 색이기도 하다. 그렇게 살아 있는 것은 "파랗게 몸이 식어 땅으로 꺼져"들고 있으며 죽음이 "눈을 뜨며 솟아오르는" 밤이 사월의 시공간이다. 죽음이 솟아오르는 것들과 삶이 "땅으로 꺼져드는 것들 사이에" 있는 시공간에서, 시인은 어떠한 생각도 하지 못하고 어떠한 행위도 하지 못한다. 죽음이 삶을 끌어내리면서 일어서는 '사이'에서는 "뼛속과 생각이 텅. 텅. 비"어지기 때문이다. 사랑이 추락해버린 사월은 이젠 돌이킬 수 없어서 "초심으로 돌아갈 수 없"다. 이렇듯 사월은 죽음의 달이어서, 시인은 "곤두서기 시작한" "사월의 새벽녘 산빛"에서 "짓밟힌 진달래처럼/핏물이 홍건하게 피어날 태세"(「현장검증」)를 감지하기도 한다. 그에게 사월의 새벽은 새 생명이 태어나는 시간이 아니라 죽음이 피어나는 시간인 것이다.

사월을 살아가는 김명철 시인에게 시 쓰기란, 그렇다고 하더라도 어떤 염원(念願)을 찾아나가는 과정일 것이다. 그가 다른 시에서 "난폭한 저 시간의 크레바스를 추월할 수만 있다면"이라거나 "위에서 추락하여 제자리로 돌아오는 것도/수평으로 이동하는 중이라고 착각할 수 있다면"(「외줄」)이라고 염원하고 있는 것을 보면 말이다. '시간의 크레바스'는 삶을 추락 또는 몰락으로 떨어뜨릴 것인데, 그렇다면 이 추락을 '착각'을 통해 수평화하는 것, 그리하여 추락을 걸어나갈 수 있게 하는 길로 만드는 것이 이 시인의 시 쓰기 아니겠는가. 그것은 "김수영의 거미처럼 새까맣게 타버"리면서 "까마득하게라도 줄을" 타고 "거꾸로 매달려서/없는 바닥을"(같은 시) 보고자 하는 의지의 이행이기도 할 것이다. 그 '외줄' 타기란 "극한(極寒)의 어둠 속에서야/비로소 동굴이" 되는 "동굴을 끌어올려/생각 위까지 덮"(「결빙기」)는 일과도 연결될 것이다. 땅속으로 나 있는 동굴은 추락을 수평화하려 뚫린 길이라고 볼 수 있는데, 이 동굴을 '생각 위'로 끌어올려 그 속을 '이동'해가는 것, 이것이『바람의 기원』에서 행한 김명철 시인의 시 쓰기일 수도 있겠다는 생각이 드는 것이다.

3.

추락의 수평화인 내면의 동굴 속을 이동해가는 일은, 반대로 수평의 길에서 추락을 경험하는 일이라고도 바꾸어 말할 수 있을 것이다. 그래서 "당신은 수평으로 떨어진다"라든지 "푸른에서 붉은으로/붉은에서

137

검은으로 떨어진다"(「나뭇잎처럼 당신은」)라는 역설적인 문장이 가능할 수 있다. 한편으로 생각해보면, 가을에서 겨울로 시간이 '이동'해가면서 나뭇잎은 푸른색에서 붉은색을 거쳐 검은색으로 '이동'해가고, 결국 땅으로 떨어지고 말 것이다. 이렇게 시간의 수평적인 '이동'은 나뭇잎을 '시간의 크레바스'에서의 추락으로 이끈다. 또한 시인에 따르면 '당신' 역시 시간의 흐름 속에서 "수평으로 떨어"지고 말 것인데, 그것은 '시간의 크레바스'처럼 당신과 나 사이에 깊은 틈이 벌어졌기 때문일 것이다. 그렇기에 시인이 "당신의 눈길과 나의 눈길은 어긋난다 나는 세상 밖을 보다가 안을 보고 당신은 안을 보다가 밖을 본다"(「아직도 아름답다 하는 가」)라고 말할 때, 그 말은 바로 그 당신과 나 사이에 깊은 상처처럼 생긴 크레바스에 대해 이야기한 것이 아닐까.

또한 '당신'과 '나' 사이의 본원적인 어긋남, 그것은 내가 세상 밖을 볼 때 당신은 안을 보고 당신이 밖을 볼 때 나는 안을 보는 어떤 시차에 의한 것이라고 할 때, 여기서 「부리와 뿌리」에서 보았던 '안과 밖'이라는 모티프가 재생되고 있다고 하겠다. 하지만 이 역시 상호 '되기'가 이루어지는 것이 아니라 상호 소외의 상태가 일어난다는 점에서 그 시와는 차별성이 있다. 나아가 시인은 "너와 네가 낳은 것들이 나를 물속으로 누르고/나와 내가 낳은 것들이 나를 물속에서 당긴다"(「유산(流産)」)라고까지 말하고 있기도 하다. '너-너의 유산'과 '나-나의 유산'은 서로 다른 힘으로 나를 침몰시킨다. '너-너의 유산'은 바깥에서 나를 누르고 있으며 '나-나의 유산'은 안에서 나를 당기고 있다. 그래서 나는 바깥으로 나가지 못하고 안으로 쭈그러들고 말 터, 나는 "가죽만 남은 채/길바닥에 납작해질 것 같"은 '껍딱지'(「눈물」)와 같은 신세가 될 것이다(그 껍딱지는 "수평으로 떨어진" 삶의 이미지다). 여기서 '너'가 누구인지 궁금해지지만, 너에 대해 시인은 구체적으로 알려주지 않는다. 다만 '너'가 추락한

별과 연관이 있는 존재라고 짐작해볼 수는 있다. 별이 떨어진 하늘 아래서 "달빛 속으로 침몰되"(「중폭」)고 있었다는 시인의 진술을 상기하면 말이다. 「중폭」에서 별의 추락에 따라 시인 역시 침몰되었듯이, 「유산」에서도 너의 추락에 따라 '내'가 침몰되었다고 유추해볼 수 있는 것이다.

여하튼, 이제 시인은 자신을 저 시간의 안쪽인 크레바스 아래로 침몰시키는 너의 압력과 나의 인력에 대응하여, 바깥으로 벗어날('탈(脫)')수 있는 길에 대해 생각하게 될 것이다. 자신의 '안'으로부터 벗어나 바깥을 향하는 것, 그것은 삶의 자연스러운 에로스(eros)적인 욕망이기 때문이다. 그런데 그 욕망은 타자와 섞이고자 하는 욕망인 것이어서 나의 '안'으로부터 '탈'하기 위해서는 네가 필요한 것이다. 네가 있어야 바깥의 공간이 생성될 수 있다. 하지만 너는 지금 추락해버리고 만 것, 그래서 너를 다시 하늘로 띄워야 하는데, 이를 위한 전제 작업으로 작금의 너의 현실을 투시하는 일이 필요하다. 「부리와 뿌리」의 모티프를 변주하여 새를 하늘로, 나무를 꽃으로 전치하고 있는 시 「탈(脫)」에서, 시인이 '당신'의 현재에 대해 집중적으로 관찰하고 진술하고 있는 것은 그때문일 것이다.

하늘의 울타리를 벗어난 구름이
날카로운 꽃잎을 건너 당신의 옆구리를 스친다

깍지 낀 손베개로 천장을 보고 누워
무거운 발목을 까딱거리며
히브리 노예들의 노래를 듣다가
묶였군 억센 비를 많이 맞아야 되겠어

가볍게 붉은 꽃이 눈과 몸을 열어

소리로 터져 나올 때까지

뿌리가 저도 모르게 움켜쥐었던 어둠을 풀어주고

어둠은 마모되고 풍화되어

손가락 사이로 흘러내리도록

하늘만큼이나 꽃도

꽃에서 벗어나고 싶은 것이다 당신이

나나 당신의 안에서 밖으로

바깥에서 더 바깥으로 나가고 싶듯이

그렁그렁한 꽃의 눈빛에 스친

생채기 그 자리에서

이미 떠난 줄 알았는데

제자리에 갇혀 있는 생각을 두고

몸이 먼저 떠날 수도 있겠다

그날을 내기하다가 다시 묶이는 당신이지만

소리와 색깔과 노래와

지리멸렬하거나 돈독한 관계가

이파리처럼 입장을 바꾸고

이제는 꽃에 숨어 있던 바람이

소리를 만들어 계절을 떠나야 할 때

당신의 울음이

몸을 떨어 붉은 색깔을 토해내듯이

_「탈(脫)」전문

    앞의 시에서 하늘과 꽃은 좀처럼 상호 생성의 관계로 들어서지 못한다. 하늘은 자신의 울타리로부터 벗어나 구름이 되었건만 그만 하늘에 묶인 먹구름이 되어 "억센 비를 많이" 내릴 태세다. 또한 "하늘만큼이나 꽃도/꽃에서 벗어나고 싶"어서 "뿌리가 저도 모르게 움켜쥐었던 어둠을 풀어주고" "눈과 몸을 열어/소리로 터져" 나오고자 하지만, 마지막 연에서 보듯이 꽃 역시 소리를 아직 만들지 못하고 있는 중이다. 그렇게 저 하늘과 꽃은 같은 처지에 놓여 있는데, 이는 '당신'도 마찬가지다. 당신 역시 "나나 당신의 안에서 밖으로/바깥에서 더 바깥으로 나가고 싶"지만 "다시 묶이"고 마는 것을 보면 말이다. 이렇게 당신이 하늘과 꽃의 처지에 미메시스(mimesis)되는 것은 "하늘의 울타리를 벗어난 구름이/날카로운 꽃잎을 건너 당신의 옆구리를 스"치면서 일어난 일인 듯한데, 바로 그때 하늘처럼 안의 울타리를 벗어나고자 하는 당신의 욕망이 가동되기 시작했던 것일 테다. 하지만 구름에 스친 부위는 "꽃의 눈빛에 스친/생채기"가 되고 '생각'은 '제자리'에서 떠나지 못하여 당신은 "다시 묶이"고 마는 것. 그 부위가 생채기가 된 것은 그렇게 가동된 욕망이 결국 좌절되고 말았기 때문이리라.

    그러나 이 '생채기'로 인해, 소리로 터져 나오고자 하지만 터져 나오지 못하고 있는 꽃과 당신은 미메시스된다. 그리하여 "꽃에 숨어 있던 바람이/소리를 만들어 계절을 떠나야 할 때/당신의 울음이/몸을 떨어 붉은 색깔을 토해내"기에 이르는 것이다. 여기서 우리는 이 시집의 핵심적인 시어 중의 하나인 '바람'과 마주치게 된다. 이 '바람'이 어떤 의미를 가지고 있는지 궁금해지는데, "꽃에 숨어 있던 바람이/소리를 만들"

면 꽃이 계절을 떠나게 될 것이라는 구절은 바람이 죽음과 연관되어 있
다는 것을 짐작케 한다. 계절을 떠난다는 것, 그것은 꽃에겐 죽음을 의
미하는 것이기 때문이다. 그렇다면 꽃과 미메시스된 당신이 토해내는
붉은 색깔이란 바로 꽃이 계절을 떠나 죽음을 맞이하면서 흘리게 될 피
의 색깔일 터, 바람은 울음소리를 만들면서 죽음을 불러오는 존재라고
할 수 있는 것이다. 즉 바람은 '꽃–당신'을 죽음의 추락으로 이끈다. 한
편으로 그 바람은 "꽃에 숨어 있던" 것이어서 꽃을 따라갈 수밖에 없기
도 하다. 즉 꽃 속에 숨어 잠재해 있는 바람은 꽃의 삶에 내재된 죽음이
라고 할 것이어서, 죽음의 바람은 꽃과 동일한 운명을 살아나가는 것이
다. 아래의 시와 같이 말이다.

> 바람이 꽃잎을 흔들 때마다
> 몸을 뒤집으며
> 꽃잎이 바람을 따르고 있었다
> 피 묻은 바람이
> 어둠 속 꽃잎을 따라가고 있었다
>
> _「잠시 너를 잃고」 부분

꽃잎이 "몸을 뒤집으며" 바람에 흔들리고 있는 걸 보면, 앞의 시에서
꽃은 아직 죽지 않은 상태다. 하지만 꽃잎은 "바람을 따르고" 있다. 바
람에 꽃의 피가 묻어 있는 것을 볼 때, 꽃잎이 바람을 따라가고 있는 길
은 죽음으로 향해 있을 것이다. 인용되지 않은 앞의 시의 2연을 보면,
그 피는 "어떤 사랑이 휘두른 맹목의 칼날에" '만신창이'가 된 꽃의 '낭
자'한 '선혈'이다(앞에서 읽은 「증폭」에서도 사랑은 "붉은 심장만 있는 피투성
이"로 존재하고 있었다). 바람은 그러니까 과격하고 난폭한 '어떤 사랑'이

142

다. '바람-사랑'의 난폭성은 다른 시의 표현에 따르면 "바람은 불어/비
닐하우스의 파이프와 당신의 하루가"(「바람에게」) 뽑힐 정도다. 그런데
바람 역시, 바람을 따라 죽음의 어둠으로 이동하고 있는 꽃잎을 따라가
고 있는 것이다. 앞에서 언급했듯이 바람은 꽃의 삶에 내재되어 있는
것이기 때문일 텐데, 그렇다면 '어떤 사랑'인 바람은 꽃 자신의 내면에
서 강렬하게 끓어오른 사랑이라고도 말할 수 있다. 내면의 '어떤 사랑'
에 따르면서 꽃잎은 몸을 뒤집고 피를 흘리며 죽음으로 이행해가고, 그
와 동시에 '그 어떤 사랑'은 그렇게 죽음의 어둠으로 향해 가는 꽃잎의
삶을 따라간다.

4.

앞에서 읽은 바에 따르면, 김명철의 시에서 바람은 죽음으로 이끄는
존재이기에, 그것은 죽음의 달인 사월과 잘 어울리기도 한다. 사월은
만물이 소생하는 달이라지만, 한편으로 많은 꽃들이 바람에 떨어지기
도 한다. "죽은 자들도 눈을 뜬다는 사월에" "바람을 맞은 꽃들은/송두
리째 혼자 떨어지고"(「넓은 문」) 마는 것이다. 사월의 바람은 꽃들을 추
락시키고 생명을 거두어간다. "떨어진 꽃들 뒤에서 살아남은 자들은"
(같은 시) 죽음을 불러오는 바람을 따르면서 자신의 꽃잎만을 흩날린다.
흩날리는 꽃잎, 그것은 살아남은 자들이 죽음으로 이행해가는 몸짓인
동시에 죽은 자들로 인해 지르는 슬픔의 절규를 가리킬 것이다. "죽은
자들이 아니라/그 옆을 지나치는 사람들이/입을 길게 벌려 절규할 것이
다"(「낙과(落果)」)라는 시인의 말처럼 말이다(이 절규에서 2014년 4월에 일
어난 세월호 참사 이후의 유가족들을 떠올린다면 지나친 상상일까? 하지만 "바

143

다의 참사가 마음의 참사를 낳고 있었다,//선수(船首)로부터의 침몰"(「대조기(大潮氣)」)이라는 구절은, 이 시의 문맥을 통해 볼 때 시인이 4·16 참사를 두고 쓴 것인지 확실하지 않지만, 현재의 독자로서 4·16을 떠올리게 되는 것은 자연스럽다. 그렇기에 죽은 자 "옆을 지나치는" 사람들이 터뜨리는 절규에서 4·16 참사의 유족들을 상기하게도 되는 것이다).

하지만 한편으로, 죽음을 불러오는 바람은 '어떤 사랑'이기도 했다. 죽음에로까지 이끄는 격렬한 사랑. 그런데 생각해보면, 죽음은 신생을 위한 전제이기도 하다. 바람에 의해 꽃들이 떨어진 이후에야 꽃들은 다시 피어오를 것이다. 죽음 없이 새로운 삶은 없다. 다른 방식으로 말한다면 사랑을 통한 주체의 죽음이 이루어져야 새로운 주체성은 태어날 수 있다. 이렇게 본다면 바람—사랑—은 새로운 주체성이 태어나기 위한 전제로서의 죽음을 불러오는 존재라고도 할 것인데, 시인 역시 이에 대해 의식하고 있었다. 그가 "바람이 부려놓은 햇살 사이로/깨진 얼굴처럼 벽돌이 튀어 들어간다/생목이 오른다"(「생목」)라고 말하고 있는 것을 보면 말이다. 여기서 바람이 부려놓은 햇살은 벽돌을 깨뜨리면서도 생목을 오르게 하는 이중의 작업을 한다. 다른 시에서도 햇살은 「생목」에서와 같이 공격적이고 꼿꼿한 이미지로 등장한다. 가령, 오월의 "그림자가 없"을 정도로 직선으로 내리쬐는 "꼿꼿한 햇살"이 "낯선 도시의 거리를 걷고 있"는 "나를 찍고 있"(「공백」)는 장면에서 그 이미지를 볼 수 있다. 이때 '나'는 "머리가 잘린 가로수 아래/눈빛처럼 떨어지는"(같은 시) 그 햇살의 조각들을 쪼고 있는 참새 한 마리에 의해 쪼이고 있기도 하다.

그러한 공격성을 가진 햇살에 찍혀버린 벽돌은 깨진 얼굴처럼 깨뜨려지는 것인데, 그 햇살은 죽음을 불러오는 바람의 힘을 얻어 "머리가 잘린 가로수"와 같은 죽음의 이미지를 가져오기도 한다. 하지만 이와 동시에, 햇살의 그와 같은 공격성은 "아직 풀리지 않은 언 땅"(「생목」)을 깨뜨려 새로운 생목이 오르게 돕기도 하는 것이다. 이러한 햇살의 양면성은 햇살을 부려놓은 바람이 죽음이자 사랑이라는 양면성을 지니고 있기 때문일 테다. 그래서 바람은 앞에서 살펴본 폭력과 죽임의 이미지가 아니라, 그와 반대되는 이미지로도 다음과 같이 제시될 수 있었다.

얼음장보다 차가운 손을 넌지시 끌어당겨
따뜻하게 감싸주는 손이 있다
냉기가 온기에 스며들어
두 손이 갈래갈래 차갑다 바람 같다

그리움이 눈밭에서 발을 구르며 기다리다가 식는다

차가워진 손이 차가운 손을 덥석 잡아당겨
불꽃 속으로 들어간다
온기가 냉기를 파고들어
양 손가락들 사이사이가 뜨겁다

뜨거움과 차가움이
마음보다 빠른 속도로 교차하는 동안
가느다란 손가락이 눈밭에서
굵고 울퉁불퉁한 손가락으로 자라난다
바람 같다
바람같이 손가락에서 새가 날아오르고
싸락눈이 내리고
해가 한 번 떴다가 바닷속으로 침몰하는 동안

떨리는 나의 손끝이 너의 손끝으로

향하는 동안

다독여진 손가락이 펴지며 동그라미를 그린다

통증,

다음에 피어나는 꽃잎

하얗다

_「눈밭에 앉아서」전문

　앞의 시에서 바람은 변이 과정과 생성-소멸의 흐름 자체로 나타나고 있다. 변이는 스며듦과 교차를 통해 이루어진다. 차가운 손을 따뜻하게 감싸줌으로써 "냉기가 온기에 스며들어" 따스함이 차가움으로 변이될 때, 시인은 "바람 같다"라고 말한다. "온기가 냉기를 파고들어/양 손가락들 사이사이가" 뜨거워지는 변이 과정과 그리움이 기다림을 거쳐 식어가는 과정에 대해서도, 시인이 직접 말하고 있지는 않지만 역시 "바람 같다"라고 말할 수 있을 것이다. 즉 손가락 사이에서 "뜨거움과 차가움이/마음보다 빠른 속도"로 이루어지는 '교차'가 바람이라고 할 수 있겠는데, 이러한 교차 속에서 "가느다란 손가락이 눈밭에서/굵고 울퉁불퉁한 손가락으로 자라"나기도 한다. 손가락이 냉온의 변이 속에서 좀 더 세상에 단련되어가는 것, 이 역시 시인은 "바람 같다"라고 하는데, 이러한 단련은 "해가 한 번 떴다가 바닷속으로 침몰하는" 상승과 추락의 반복──이를 뜨거움과 차가움의 교차인 바람이라고 바꾸어 말할 수 있겠다──을 통해 이루어지는 것이다.
　"나의 손끝"과 "너의 손끝"이 서로 감싸주고 "덥석 잡아당"기면서 바람은 만들어지고, 그리하여 "바람같이 손가락에서 새가 날아오"를 수 있게 된다. 다시 말하면, 상승과 추락, 뜨거움과 차가움이 교차하면서 생겨난 바람은 신생이라고 말할 수 있는 새의 비상을 낳는다. '바람−되기'를 통한 이러한 신생의 과정은 꽃잎이 하얗게 "통증,/다음에 피어나는" 과정과 같은 길을 밟는다고 할 수 있을 것인데, 그래서 꽃잎의 개화는 서로 "다독여진 손가락이 펴지"면서 그려지는 동그라미에 따라 이루어진다고 할 수 있다. 이렇게 신생은 서로 손을 붙잡고 다독이다가 손가락을 폈을 때 이루어지는 것(이때 손끝에서 교차하던 바람은 새가 되어 하늘로 날아오를 것이다), 그래서 시인은 「바람의 기원」에서 "당신과 내가 없이는/바람도 없"다고 말하는 것이리라. 그러나 아래의 시에 등장하는 '당신과 나'는, 「눈밭에 앉아서」에서처럼 따스하게 손을 잡는 관계에 놓여 있지 않다.

> 향나무와 소나무처럼
>
> 당신과 난 이질적이었고
>
> 언제나 나는 햇살에 목이 말랐습니다
>
> 나는 당신을 빨아들여 내 가지들을 길렀고
>
> 당신은 이른 봄 새의 모가지처럼 수척해졌습니다
>
> 바람에 당신이 흔들릴 때
>
> 내 머리 위에 떨어지던 햇살들을 따라
>
> 죽거나 산 내 가지들이
>
> 목을 빼기도 했습니다
>
> 겨울을 준비하는 가을의 바람처럼
>
> 전쟁을 위한 평화나
>
> 평화를 위한 전쟁뿐이었습니다

그러나 당신의 의지는 바람의 의지였고

나는 햇살의 의지였다고 말하지 않겠습니다

당신과 내가 없이는

바람도 없기 때문입니다

향나무대로 소나무대로

순응이나 제스처가 아니라

정곡으로 가겠습니다

내 갈라진 둥치에도

바람 한 점이 떨어졌습니다

_「바람의 기원」 부분

　시인은 "향나무와 소나무처럼/당신과 난 이질적이었"음을 고백한다. 나아가 그는, 앞의 인용 부분 바깥에 제시되어 있는 표현을 가져오자면, "당신의 몸과 내 뿌리의 전쟁"이 일어나기도 했다고도 말한다. 그러한 이질성, 불화는 "당신의 의지는 바람의 의지였"는 데 반해 "언제나 나는 햇살에 목이 말랐"기 때문일 테다. 그래서 시인은 "겨울을 준비하는 가을의 바람처럼/전쟁을 위한 평화나/평화를 위한 전쟁뿐"의 삶을 살았다고 하는데, 하지만 이러한 전쟁 속에서 시인은 "당신을 빨아들여 내 가지들을 길렀"던 것이다. 그것은 「생목」에서 보았듯이 바람이 햇살들을 부려놓음으로써, "내 머리 위에 떨어지던 햇살들을 따라/죽거나 산 내 가지들이/목을 빼기도" 했기 때문이리라. 이 햇살들을 운반하는 바람은 죽음과 신생을 동시에 형성시키는 것이어서, 시인은 바람을 삶의 원리로서 긍정할 수 있게 되는 것이다.

　그렇기에 시인은 반대로 "당신과 내가 없이는/바람도 없"다고 당당히 말할 수 있게 된다. "가을의 바람"은 당신과 나의 "평화를 위한 전쟁"

또는 "전쟁을 위한 평화" 속에서 일어나는 것이어서 당신과 나의 관계 맺음―평화나 전쟁은 그 관계의 양태일 테다―이 전제되지 않으면 존재할 수 없는 것이다. 또한 그렇기에 당신과의 관계는 순응이나 제스처가 아니라 "정곡으로 가"는 관계여야 하는 것, 시인은 당신과 그러한 관계가 되어야 한다고 다짐한다. 그 관계가 형성될 때, 인용되지 않은 시의 서두에 따르면 "향나무 밑둥치가 두 갈래로 갈라진 틈새에서/백송 한 그루가 자라고 있"듯이, "내 갈라진 둥치에도/바람 한 점이 떨어"질 수 있게 될 것이다. 다시 말하면 삶의 '밑둥치'에 생긴 '갈라진' 상처에서 '이질적'인 타자가 생목처럼 생겨나서 자라게 된 것과 마찬가지로, 당신과의 전쟁으로 인한 '나'의 상처―"내 갈라진 둥치"―에로 그 전쟁에 의해 생겨난 "바람 한 점"이 떨어질 것이고, 그 "바람 한 점"은 '나'의 삶에 "통증,/다음에 피어나는 꽃잎"(「눈밭에 앉아서」)을 개화시키기 시작할 것이다.

5.

「바람의 기원」에서 보았듯이 김명철 시인은 타자와 순응의 관계가 아니라 '정곡'의 관계를 맺어야 한다고 생각한다. 그 관계는 '전쟁'이라는 말로 표현되기도 했다. 타자인 '당신'과의 전쟁을 통해서야 신생은 이루어질 수 있다. 이와 관련하여, 이 시집에는 전쟁의 이미지가 등장하고 있는 시편들을 적지 않게 찾아볼 수 있다. 가령 「말, 말, 말, 그리고 고지」라는 시에서는 생활이 전투로 표현되고 있다. 이때 생활 속의 전투란 "빗발치는 말씀들을 뚫고 간신히 살아남는" 그런 성격의 것이다. 즉 타자의 '말씀들'이 적의 총탄이어서, "재래식 입술과 현대식 입술에서 쏟아져 나오는 탄환들을 피하려 지그재그로" 뛰어야 하는 전투인 것이다. 그것은 결국 전투라기보다는 도주하기라 하겠다. 하지만 다른 시에서 시인이 "어차피 백전백패"(「실체」)라고 말한 바 있듯이, 시인은 결국 도주에 실패할 것이다. 지랄탄과 저격수의 총알을 피할 수 없기 때문이다. 지랄탄의 경우 그것은 "총구는 하나인데 다연발 탄알의 방향을 종잡을 수 없"는 것이어서, "정면에서 발사되는데도 등 뒤쪽에서 날아와 내 귓등을 노"리는 것이다. 저격수의 총알은 어떠한가?「말, 말, 말, 그리고 고지」의 후반부를 읽어보자.

정확히 조준된 저격수의 총알은 왼쪽 귀를 뚫고 다른 쪽 귀로는 절대 빠져나가지 않는다 박힌 총알은 전신을 빨아들이는 블랙홀이 된다 늦은 밤이나 술이나 연애 같은 것들이 나비처럼 얇아진다

샛노란 노래를 들으며 필사적으로
졸고 싶어요

나의 전투력은 아침에 떨어진 꽃잎 수준이다 첨단 성능의 지뢰를 만나게 되면 투항, 포로, 흰나비가 되지 못한 말들, 아아 그때 그 여자, 전사, 행복했던가
나의 내부에서부터 먼저 동시다발의 섬광을 터뜨린다
적을 향한 총구만이 파리하게 빛난다
_「말, 말, 말, 그리고 고지」부분

저격수의 총알은 시인에게 뼈아픈 상처가 되는 말을 의미하는 것 같다. 그 말은 시인의 뇌에서 "절대 빠져나가지 않는" 총알인 것이다. 그만큼 치명적인 말이어서, 그것은 "전신을 빨아들이는 블랙홀"이다. 늦

은 밤, 연애, 술 등과 같은 일상의 삶이 그 블랙홀로 빨려 들어가며 얇아진다. 시인의 전투력은 '백전백패'의 실력이다. 그의 총탄은 "흰나비가 되지 못한 말들"이어서 "아침에 떨어진 꽃잎"과 같을 뿐, 결국 시인은 "첨단 성능의 지뢰를 만나게 되면" 투항하여 포로가 될 것이다. 그 추락한 꽃잎은 다른 시의 표현에 따르면 "추위에 맞아 죽고 있는 꽃들"(「결절」)이 남긴 시체라 하겠다. 하지만 그는 "적을 향한 총구만"은 거두지 않는다. 그 총구가 "파리하게 빛"날지라도 말이다. 또한 생활의 전선에서 적은 무찌르지 못하고 포로가 될지라도, 그는 "나의 내부에서부터 먼저 동시다발의 섬광을 터뜨"리려고 한다(이러한 자폭이 시인의 시 쓰기일 것이다). 하지만 자폭은 마냥 자살 테러와 같은 것은 아니다. 저 생활의 전장에서 살아남는 것이 김명철 시인의 전투인 것, 시인 자신이 죽어버린다면 전투는 의미가 없어진다. 그의 자폭은 나를 죽이면서 살리는 전술이다. 섬광을 터뜨리며 나를 폭파하되, 다시 나를 이어 붙이는 기술이 필요하다. 죽음과 신생이 동시에 이루어질 수 있게 하는 기술.

이 기술을 시인은 그가 "아름답다고 생각했"다는, "지기만 하면서도 끝내 살아가는 사람들"(「결절」)로부터 배울 수 있었을 것이다. 또는 파리로부터 배우기도 했을 것이다. "죽은 파리의 머리에 자신의 머리를 붙이는 파리" 또는 "죽은 파리의 몸에 자신의 몸을 붙이는 파리"(「가난하고 낮고 쓸쓸한」) 말이다. 그 파리의 모습은 시인이 "목에서 떨어지는 내 머리를/두 손으로 받으면서 깨어나/나, 잘 살고 있나/새벽달이 꺼질 때까지 친구하고 마시"(「결절」)는 모습과 겹쳐진다. 떨어지는 머리를 두 손으로 받고 친구와 새벽까지 술 마시기와 죽은 몸에 자신의 몸을 접붙이기. 그런데 이 죽음과 삶을 접붙이는 일은 사랑이라는 접착제가 없으면 불가능할 것이다. 이 시집의 상징체계에서 죽음을 불러오는 바람이 햇살을 매개로 신생을 낳기도 한다는 것을 이 글은 앞에서 밝힌 바 있

151

었다. 추락과 신생을 동시에 일으키는 바람, 사랑과 죽음의 바람. 그 바람은 감미롭고 부드러운 사랑이 아니라 공격적이고 적극적인 사랑이었다. 당신과의 전쟁을 통해 생성되는 바람의 사랑. 그 사랑은 생활과의 전투에서 끝내 살아갈 수 있는 식량을 제공하는지도 모른다. 지기만 해서 죽음을 겪어야 하면서도 사람들이 "끝내 살아"갈 수 있었던 것은 바로 그러한 '바람—사랑'을 살 수 있었기 때문 아닐까. 아래의 시는 "끝내 살아가는 사람들"이 살아가는 사랑이 어떠한 성격을 가지고 있는지를 상징적으로 그려내고 있는 것으로 보인다.

천진난만한 아이들이 뭉쳐 던진 사랑에 맞으며
자동차가 웃으며 미끄러지고
차창 밖으로 튕겨 나와 미끄러지는 남자 위로
미끄러진 여자가 포개지면서 넘어지고
넘어진 여자 위로
천진난만한 아이들이 하얗게 풀어진 사랑을 마구 던지고

번쩍거리는 불빛 아래
풀풀풀 날리는 뒷골목의 사랑은 끊임없이 밟히고
밟힌 사랑의 남자 아래로 두툼한 사랑이 깔리고
깔린 사랑이 녹아
남자의 형태가 반으로 접힌 십자가로 찍히고

한 블록 더 들어간 움푹한 골목의 사랑이
어둠 속에서 눈을 질끈 감고
감긴 눈이 사랑들을 불러와 모두 눈을 고요히 감고

감은 눈 옆에서 암흑과 싸우던

여리고 강한 사랑이 어둠의 정수를 가슴에 꽂으며

검은 눈을 또다시 감고

_「흑야(黑夜)」 전문

뒷골목에 내리는 눈송이는 사랑의 현현일까? "천진난만한 아이들이" 던지는 눈뭉치를 시인이 사랑이라고 부르고 있으니 말이다. 하늘에서 내려온 사랑, 그것은 엄숙하지 않은 사랑이다. 아이들을 즐겁게 해주는 "하얗게 풀어진 사랑"이다. 그런데 이 아이들에 의해 마구 던져진 '눈송이-사랑'은 연쇄적인 사건을 일으킨다. 눈에 맞아 미끄러지는 자동차, 그리하여 차창 밖으로 미끄러지는 남자, 그리고 그 위로 쓰러지는 여자. 이러한 연쇄적인 사건 속에서 사랑은 사람들에 의해 "끊임없이 밟히"며 "남자 아래로 두툼"하게 깔리고 그렇게 깔린 채로 녹는다. 그렇게 사랑은 연쇄적으로 변모되면서 사람들 사이를 흐르면서 사건을 일으키는 것, 결국 남자 밑에 깔린 사랑이 녹으면서, 녹은 사랑에 젖어들었을 "남자의 형태가 반으로 접힌 십자가로 찍히"기에 이른다. 의미심장하고 난해한 이 이미지는, 하늘에서 내리는 '눈송이-사랑'이 예수의 사랑과 그 성격을 같이한다는 것을 짐작케 한다.

  "반으로 접힌 십자가"라는 이미지는 3연에서 "어둠의 정수를 가슴에 꽂"는 "여리고 강한 사랑"의 이미지로 더욱 심화된다. 이 3연은 이 시에서 그려지고 있는 사랑의 성격을 더욱 구체화하고 있는 부분이다. 여기서 "한 블록 더 들어간.움푹한 골목"으로 들어선 사랑은, 그 골목의 어둠을 밝히는 것이 아니라 도리어 "어둠 속에서 눈을 질끈 감고" "어둠의 정수"를 자신의 가슴에 꽂고 있다. 어둠 속에서 '검은 눈'을 감고는 더욱 컴컴해진 어둠을 가슴속에 아프게 찔러 넣기. 그것이 사람들에게 짓밟

히는 것을 마다하지 않으면서 더욱 어두운 곳에 내리는 '눈송이-사랑'
의 자기 실천이다. 어둠 속에서 눈을 감는 그 실천은 역설적으로 "암흑
과 싸우"는 행위이다. 사랑의 눈감기 역시 연쇄 반응을 일으켜서 "감긴
눈이 사랑들을 불러와 모두 눈을 고요히 감"도록 이끈다. 그리하여 우
리가 컴컴한 '흑야'를 살고 있다고 하더라도, "암흑과 싸우던/여리고 강
한 사랑"의 힘에 인도받아 우리 모두 어둠을 살아낼 수 있는 사랑을 품
을 수 있게 되는 것이다.

6.

「흑야」에 대한 앞의 논의에 따르자면, 시인은 '어둠-죽음' 속에서 '어
둠-죽음'의 '정수'를 앓으면서 도리어 '어둠-죽음'과 싸우며 삶을 살아
갈 수 있게 하는 사랑의 힘을 발견했다. 그렇기에 시인은, 이 시집의 마
지막에 실린 아래의 시를 쓸 수 있었을지 모른다.

> 돈도 사랑도 안 되는 노동만 하다가
> 집으로 돌아간다
>
> 물에 빠져 죽은 사월이 발목을 걸고
> 새들이 내 머리 위에서 찍 싸고 간다
> 나에게 깃털 하나 던져주지 않던 새들이었다
>
> 문 옆에 열쇠를 걸어두었고
> 방을 정리하지도 않고 집을 떠났으니

모르는 이들이나 다른 것들이 들락거렸을 것이다

내 못생긴 뿌리가 마르지 않도록
간혹 환기나 시키면서
내가 깎을 뿔이나 돌들로 장난이나 치면서

따듯하거나 검은 것들끼리
차갑거나 하얀 이들끼리, 아니면 같이
맘 편히 지냈기를 바랄 뿐이다

빈손으로 집에 돌아가니
그들이 남아 있다면 내쫓지도 잡지도 않으려 한다

눈길을 한참 걸었는데도 비포장 길이다
오랜만에 오래된 시집처럼
햇살에 반사되는 눈빛이 독하지가 않다

_「해독(解毒)」전문

   마지막 연부터 살펴보자. "한참 걸었는데도" 여전히 시인 앞에 놓여
있는 '눈길'은 '비포장 길'이다. 어쩌면 시인은 평생 비포장 길을 걸어야
할지도 모르는 일이리라. 그러나 '눈'에서 사랑의 현현을 읽어냈던 시인
에게는 저 비포장 길 위에 쌓여 있는 눈이 따스하게 느껴졌을 터, 그는
"햇살에 반사되는 눈빛이 독하지가 않다"라고 말한다. 이 글이 읽어낸
김명철 시어의 상징체계에서 햇살은 파괴적인 폭력을 행사하면서 죽음
과 신생을 동시에 가져오는 것이었다. 이러한 파괴적인 "햇살에 반사되

155

는 눈빛"은, 「증폭」에서 떨어진 별빛이 "어린 까치독사의 눈빛 같"았던 것처럼 시인에게 독하게 느껴졌을 테다. 그러나 이제 눈이 사랑이라고 인식하게 된 시인에게 그 눈빛은 더 이상 독하지가 않다. 도리어 그 눈빛은 신생과 죽음이 어우러져 진행되는 삶의 과정—떨어지는 햇살에 찍히고 있는 비포장 '눈길'—을 따스하게 감싸주고 있다고 느꼈을지도 모르겠다. 시인은 그러한 느낌을 옛날에 가졌던 바 있었을 것이다. '오랜만에'라는 시어가 이를 암시해준다.

그런데 흥미로운 건, 시인이 그 눈빛을 "오래된 시집"에 비유하고 있는 것이다. 오랜만에 펼쳐본 오래된 시집에서 시인은 정다움과 같은 감정을 느끼게 되지 않겠는가. 그렇다면 저 눈빛에서 시인은 그러한 감정을 다시 느꼈다는 말일까. 아무튼 그 느낌은 "돈도 사랑도 안 되는 노동만 하다가" 오랜만에 다시 "빈손으로 집에 돌아"갔을 때 느낄 수 있는 편안함과 같은 것이기도 하리라. "물에 빠져 죽은 사월이 발목을 걸고/ 새들이 내 머리 위에서 찍" 싼 새똥을 맞으며 힘겹게 걸어간 집 바깥에서의 삶과 노동, 죽음의 사월을 무겁게 살아가야 했던 시인은 이제 집으로 귀환한다(사월을 수식하는 "물에 빠져 죽은"이라는 구절을 보면 이 시 역시 세월호 참사 이후에 써진 것으로 짐작된다). 이 귀가는 집으로의 단순한 귀환이 아니다. 출가와 귀가 과정에서, 시인은 삶을 대하는 태도가 이전과는 달라진 듯이 보이기 때문이다. 귀가하고 있는 그는 집을 떠날 때 열쇠를 잠그지 않아 집 안에 들락거렸을 "모르는 이들이나 다른 것들"이 "맘 편히 지냈기를 바랄 뿐"이며, "그들이 남아 있다면 내쫓지도 잡지도 않으려 한다"라고 마음먹고 있다. 시인은 햇살이 쏟아지는 비포장 눈길을 걸어오면서, 자신이 모르는 타자들이 자신의 집에서 존재할 권리를 인정하고 그들과 공존해야 한다는 것을 깨달은 것이리라.

그런데 시인은 어디로부터 귀가하고 있는가? 죽음의 바람이 부는 사월의 세상, 또는 "돈도 사랑도 안 되는 노동"을 해야 하는 세상이겠다. 한편으로 이 「해독(解毒)」이 시집 맨 마지막에 실려 있는 것을 보면, 시집에 펼쳐진 마음의 행적으로부터 귀가하고 있다고 생각할 수 있다. 이 시집은 "구 개월 노동의 뒤끝"에서 "오래된 마음의 병"마저 "온몸으로 퍼"져 "어디에 바늘을 꽂아야 하"(「마비」)는지 모르는 처지에 대한 시인의 토로에서부터 시작했다. 이 때문에 마음은 시라는 상상 세계를 통해서라도 몸이라는 집을 떠나게 되었다고도 말할 수 있겠는데, 그렇다면 이 마음의 출가에서부터 시집에서 전개될 마음의 행로가 시작되었다고 할 수 있겠다. 하여, 이 시집의 시편들은 '사월—죽음'의 바람을 맞으면서 그 병을 살아간 시적 기록들이라고도 말할 수 있을 것이다. 시인은 집을 나와 바람 부는 사월의 세상을 걸으면서 마음의 병과 싸우며 시를 써나간 것인데, 그것은 삶의 밑바닥에서 발견할 수 있는 진실을 찾아나서는 일이기도 했다. 비록 그는 그러한 세상에 '백전백패' 하겠지만 말이다.

결국 시인은 시집의 마지막 장에 이르러 귀갓길에 오를 수 있었던 것. 그는 여전히 힘겹게 비포장 눈길을 걸어야 하지만, 앞의 시에서 볼 수 있듯이 죽음을 견디고 사랑을 발견하면서 예전보다 세계를 좀 더 사랑할 수 있는 마음을 얻었고 세계의 만물과 같이 살아나갈 의지를 가지게 되었다. 이렇게 본다면, 이 시집 『바람의 기원』은 병든 마음의 출가에서 시작하여, 사월의 바람을 살아나가며 고통을 겪는 마음의 행적이 펼쳐지다가 마음의 귀가에서 끝나는 한 편의 드라마를 구성하고 있다고 하겠다. 그 구성은 우리가 사는 이 세계에 대하여, "아직도 아름답다 하는가"라는 물음에 대해 "그렇다"라고 겨우 대답하게 되기까지의 힘겨운 과정으로 이루어진다고 말할 수 있을 것이다.

  화성의 한적한 마을로 이사를 하면서 비정규직 강의도 그만두었다.
  세월호 사건의 참담함과 집짓는 일 때문이라는 핑계를 대면서 이런저런 모임에도 나가지 않았다.

  뻐꾸기 울음소리를 들으며 한동안 뒤척이다가 깨어 일어나 텃밭을 어슬렁거린다.
  고추나 고구마 줄기를 뒤덮은 잡초들을 본다. 눈을 돌려 문득 누군가를 찾을까 하다가 그만둔다.
  내가 나에게 편안한가 하고 묻고 편안하다고 대답한다.

  간혹 책을 볼 때가 있는데 그때마다 개구리 소리가 유난해진다. 사투를 벌이는 것 같다.
  집 밖으로 나와 달빛 개구리 소리 속에서 어슬렁거린다. 귀를 돌려 문득 무언가를 찾을까 하다가 그만둔다.
  내가 나에게 괜찮은가 하고 묻고 괜찮다고 대답한다.

두 번째 시집이 오 년 만에야 나왔다. 나의 시들은 아직
도 누군가와 무언가를 찾고 있는 중인 것 같다. 언제쯤 그
들에게 육박할 것인가.

김명철

실천시선 235

바람의 기원

2015년 7월 17일 1판 1쇄 찍음
2015년 7월 24일 1판 1쇄 펴냄

지은이   김명철
펴낸이   김남일
편집   이호석, 박성아, 이승한
디자인   김현주
관리·영업   김태일, 박윤혜

펴낸곳   (주)실천문학
등록   10-1221호(1995.10.26)
주소   서울특별시 마포구 월드컵로10길 48 501호(서교동, 동궁빌딩)
전화   322-2161~5
팩스   322-2166
홈페이지   www.silcheon.com

ⓒ 김명철, 2015

ISBN 978-89-392-2235-9 03810

이 시집은 2014년 한국문화예술위원회 창작지원금으로 제작되었습니다.
이 책 내용의 전부 또는 일부를 재사용하려면
반드시 지은이와 실천문학사 양측의 동의를 받아야 합니다.